LES PORTES TOURNANTES

Jacques Savoie

LES PORTES TOURNANTES

roman

Boréal Express

Photocomposition et mise en pages: Les Éditions Marquis Ltée
Photo de la couverture: Gilles Savoie, avec l'aimable collaboration
de la maison Langelier-Valiquette.

Distribution
Pour le Canada: Dimedia
539, boul. Lebeau, Saint-Laurent (Québec)

Pour la France: Distique
9, rue Édouard-Jacques
75014 Paris

© Les Éditions du Boréal Express
   5450, ch. de la Côte-des-Neiges, Montréal
   ISBN 2-89052-092-7
   Dépôt légal: 1er trimestre 1984
   Bibliothèque nationale du Québec

à Édith

LA PREMIÈRE CASSETTE

Je m'appelle Antoine. J'ai dix ans et je suis musicien. Je vis avec Blaudelle dans un studio qui a des kilomètres de long sur des kilomètres de large.

C'est un peintre, Blaudelle, et je l'appelle par son nom de famille parce que, côté prénom, c'est un peu compliqué. Il en a eu tellement. Après les Beaux-Arts, quand il était hyper-réaliste, il s'appelait Chevrolet. Puis il a changé pour Dado, maintenant il se fait appeler Joeuf...

J'étais peintre moi aussi quand j'avais quatre ans. Mais ça n'a pas marché parce qu'il n'y avait pas de place pour nous deux dans le studio. Et puis, de toute façon, ce n'était pas juste. Blaudelle copiait tout ce que je faisais; sa période non-figurative-débile, comme il dit. Chaque fois qu'il exposait dans les galeries chic, il faisait de grands discours sur l'inspiration. Les gens le croyaient et c'était, comme il dit, très bien pour sa cote. Quand je suis passé de la peinture à la musique, il s'est cassé la gueule. L'inspiration s'est arrêtée net et il a changé de nom.

Il y a Lauda aussi dans ma vie. C'est ma mère. Mais elle habite avec la mère de quelqu'un d'autre. Il

11

n'a jamais pu le prendre d'ailleurs, mon père. Même aujourd'hui, il passe son temps à dire qu'elle est lesbienne. Moi, ça ne me fait rien du tout parce que les lesbiennes ont bien raison de ne pas vouloir vivre avec des gars compliqués comme Blaudelle.

Je ne sais pas tellement écrire. Tout le monde dit que c'est un scandale... à mon âge. Mais même si je savais écrire, ça ne changerait pas grand-chose. J'ai un super-appareil-cassettes génial. Un appareil qui enregistre tout ce qu'on peut avoir envie de dire, mais avec les vraies paroles. C'est beaucoup mieux qu'écrire, ça.

L'autre jour il est arrivé un truc incroyable. Quelque chose qui a complètement changé ma vie. Alors, j'ai décidé d'enregistrer mes mémoires. Tous les soirs et chaque fois que j'ai cinq minutes, j'en raconte un petit bout sur mon super-appareil génial... Ça va être long. Je ne suis pas près d'avoir fini.

Je vais appeler mes mémoires «Le 25 novembre». Les gens ont besoin de mettre un titre sur tout ce qu'ils entendent. Pour les soulager, je vais sûrement l'appeler «Le 25 novembre», mais, en fait, ça a commencé le 24 au soir. (On n'est jamais assez honnête...) Tous les enfants devraient enregistrer leurs mémoires sur cassettes. Mais c'est pas donné à tout le monde d'avoir un super-appareil comme le mien.

J'étais en train de jouer «La danse des sabots de bois» au piano. Blaudelle était dans la cuisine et ramait dans son quatorzième café. En fait, il attendait que j'aille me coucher pour s'envoyer en l'air.

J'arrive au passage du fa dièse, juste après le do majeur diminué, tu vois où je veux dire? Je ferme les yeux parce que ça passe toujours ric-rac dans ce coin-là et bing! les doigts me fourchent. Je donne un grand coup de poing quelque part dans le haut de la gamme et le piano me recrache un mélange de la bémol, de si et de do. Mais toujours pas de fa dièse.

Blaudelle se met alors à hurler de la cuisine:

— Eh! casse pas tout! Tu seras bien content de l'avoir encore demain, ton piano!

— Qu'est-ce que tu connais là-dedans, toi le peintre? (Ça, je l'ai dit tout bas quand même.)

— Qu'est-ce que tu dis, Antoine?

Tout à coup un gros bleu apparaît sur le clavier, là où je viens de frapper. Les pieds ballants, je glisse jusqu'au bout du banc. (C'est ce que je trouve le plus difficile, jouer du piano sans jamais toucher les pédales... mais enfin, c'est un autre problème.)

Rendu par terre, je cours vers les toilettes. Vite, le panier de linge sale devant le lavabo, je grimpe dessus et j'ouvre la pharmacie. Un petit flacon de mercurochrome tombe et je regarde la porcelaine rougir. Vite, la bouteille d'alcool à friction et un petit bout de coton. Le bleu du la bémol est en train de tourner au vert étranglé. Faut faire vite. D'abord mettre un peu d'alcool sur le bout de coton et frotter la note un bon coup. L'hémorragie me fait la grimace. Je continue de frotter. La tension monte. Je prends la bouteille et la renverse sur le haut de la gamme. L'alcool éclabousse, des petites bulles dansent sur le clavier et le mal s'arrête. Ouf!

— Tu ne joues plus, Antoine?

Je remets le flacon sur le bord du piano, en cas de rechute et je lui crie que tout va bien.

— Je m'étais arrêté un peu. C'est fatigant, tu sais, le piano...

* * *

J'ai pris l'habitude d'enregistrer tous mes morceaux. C'est comme ça qu'on apprend la musique maintenant; à force de se ré-écouter.

Je me repasse donc le casque d'écoute sur les oreilles et «La danse des sabots de bois» me refait son petit ravage dans la tête. C'est le meilleur essai de la journée. Vraiment parfait jusqu'au coup de poing dans le haut de la gamme. Reste plus qu'à recommencer...

Je m'y remets et les premières mesures passent comme dans du beurre. Un peu plus loin, vers le fa dièse, je pianote sur le bout des doigts, sans trop faire de bruit. C'est les risques du métier, ça; on finit par s'habituer. Mes pieds battent la mesure sous le petit banc et je sais déjà que ce sera l'enregistrement de la journée. Tout à coup, la main gauche me fait faux bond dans un passage facile... (Toujours quand on s'y attend le moins.) Je perds mon sang-froid et BANG! un autre grand coup de poing sur le clavier. Un do très grave se met alors à ronfler. Vite... la bouteille d'alcool à friction et hop! inondation dans le bas de la gamme.

Y a des jours comme ça où rien ne marche.

*   *   *

De ma chambre, quand la porte est entrouverte, je vois tout ce qui se passe chez moi. La géographie du studio de Blaudelle n'a rien de compliqué. Au nord, il y a un petit couloir sombre qui donne sur la cuisine. En face, de l'autre côté, il y a ma chambre et les toilettes qui se tournent le dos. À part ça, c'est le studio... partout et dans toutes les directions à la fois. Un studio à l'image de Blaudelle, qui prend toute la place.

Quand il se penche sous le piano pour ramasser les cahiers de musique que j'ai laissé traîner, Blaudelle se cogne la tête sous le clavier. Le piano se met à hurler.

— Eh! casse pas le piano! Tu seras bien content de me voir jouer demain quand tu feras ta peinture.

— Qu'est-ce que tu dis, Antoine?

Je m'aperçois tout de suite qu'il ne sait pas si c'est sa tête ou le piano qui résonne comme ça.

— J'ai dit: si ça fait trop de bruit, appuie sur la pédale, ça va s'arrêter.

La tête entre les mains, Blaudelle s'en remet mal.

— Quelle pédale?

Le piano continue de gémir et Blaudelle se tient le crâne comme s'il allait sauter.

— Est-ce qu'il nous reste de l'alcool à friction, Antoine?

— Appuie sur la pédale, que je te dis. La pédale de gauche en bas. C'est fait exprès pour ça, sur les pianos. Ça coupe la résonnance quand on se cogne la tête dessus...

Blaudelle rampe finalement sous le clavier, met sa grosse patte sur la pédale de gauche et le long écho s'arrête.

— Il est tard maintenant, Antoine. Faut te coucher et faire de beaux rêves. Bonne nuit.

Indomptable, Blaudelle. Je ne sais pas si tous les peintres sont comme ça, mais le mien, il est terrible. Une lune ambulante. Tous les soirs, il tourne en rond comme ça en traînant ses pantoufles. Ou bien il finit ses journées le nez dans son Livre Noir, ou bien il appelle Armande.

De ma chambre, je vois tout. Absolument tout.

Il l'a trouvée dans le journal, Armande. Une petite annonce qui disait: «Pourquoi rester seul et taciturne? Consultez Madame Adrien, 391, 25ᵉ Avenue. Téléphone: 999-5649.› La petite annonce est toujours sur le babillard. Quand ça lui prend, il met sa chemise bleu pâle à palmiers et téléphone pour savoir si sa belle Armande est libre. Faut croire que ça lui fait du bien.

Le soir du 24 novembre, il avait l'air particulièrement triste, étalé sur le divan fleuri. La larme à l'œil, il se frottait le coup de piano d'une main tout en relisant les trois mêmes lettres de son Livre Noir.

Le Livre Noir, c'est une espèce de cartable rempli de mémoires. Quelqu'un lui a envoyé ça par la poste, il y a un mois et, depuis, c'est tout ce qu'il fait: lire dans «son livre». À force de fouiller dedans, il a fini par mêler toutes les pages des lettres. Je ne suis même plus sûr qu'il s'y retrouve, dans son histoire.

C'est souvent à cause de moi qu'il est triste, Blaudelle. Il se dit que Lauda est partie parce qu'il n'était pas aimable et qu'à force de ne pas s'améliorer, je vais partir moi aussi. Il a peur qu'on ne l'aime plus, alors il raconte n'importe quoi. Par exemple, il ne me dit jamais ce qu'il y a dans son livre et fait tout pour me cacher les visites d'Armande. Comme si ça me dérangeait.

Je ne sais pas pourquoi il est comme ça. Je crois qu'il a un problème avec son pipi, Blaudelle.

17

C'est vers neuf heures qu'elle est arrivée. Il était temps. Blaudelle était tellement triste qu'il avait l'air d'une fleur fanée sur le divan fleuri.

— (toc, toc, toc) Je peux entrer? C'est moi, Armande!

— Oui oui, euh, tu peux…

Ça commence toujours comme ça, les petites visites nocturnes. Blaudelle joue les gars occupés et lui dit quelque chose comme:

— J'ai hésité un peu tout à l'heure. Je voulais téléphoner à madame Adrien pour qu'elle te dise de venir plus tard. J'aurais préféré plus tard… mais comme tu es là…

— J'te dérange pas, toujours? Tu travaillais peut-être sur un tableau?

— Oui, oui, c'est ça, je travaillais sur un tableau, mais entre quand même. Entre et ne fais pas de bruit.

Bien sûr, qu'il ne travaillait pas sur un tableau. C'est parce qu'il a peur que je sois réveillé qu'il dit ça. Mais quand Armande apparaît derrière la porte, tout change. Ça lui donne un coup, je crois. Il devient tout bizarre et se met à s'agiter dans l'entrée.

— Tu me dis toujours de ne pas faire de bruit. J'vois pas qui ça pourrait déranger dans ton hangar.

— ...

— Bon, bon, dans ton studio. (Les phrases d'Armande sont souvent entrecoupées de petits rires.) ...mais j'peux revenir un autre soir, si tu préfères...

— Non non, va-t'en pas, reste.

C'est la panique lorsque Armande menace de partir. Blaudelle court vite mettre un disque... toujours le même d'ailleurs; une version égratignée des *Quatre Saisons*. Il installe le paravent en plein milieu du studio, dans l'axe de ma chambre et du divan et ensuite il fait le ménage. Un ménage en catastrophe. Il déplace tout sans que ça ne change rien, et tire Armande le plus loin possible de ma chambre.

Elle a aussi ses petites manies, Armande. Les maladresses de Blaudelle la font tellement rire qu'elle en perd le souffle. Rendue à l'autre bout du studio, elle s'aligne les fesses au-dessus du divan, fait semblant de perdre l'équilibre et, par la force des choses, se laisse rouler dans les coussins en essuyant une larme de rire.

— T'es ben nerveux, Joeuf. Chaque fois que je viens te voir, on dirait que tu perds les pédales.

— C'est le ménage. Ça me dérange qu'une femme vienne ici. L'atelier est toujours tellement en désordre...

Blaudelle éteint ensuite quelques lumières et tourne en rond, comme s'il avait encore des choses à faire. Armande lui tend la main. Il hésite sans vraiment hésiter... Elle lui prend le bras et le tire dans les coussins. C'est là qu'il tombe en amour.

* * *

Sur le mur en face du divan fleuri, il y a un Cézanne. C'est une reproduction et depuis que Blaudelle l'arrose, la végétation a tellement poussé dans l'image que plus personne ne sait dire ce que c'est vraiment. Il est très fier de ce fouillis de broussailles et de lierres qui sortent du cadre et tombent par terre.

— Tu le trouve pas beau, mon tableau?

— Comme ça.

— Un Cézanne arrosé. C'est pas tout le monde qui aurait pensé à ça.

— J'aimerais bien qu'on m'arrose, moi aussi. T'aurais pas quelque chose à boire?

— Ben non justement. Y reste plus rien.

Armande fait la grimace et Blaudelle devient tout à coup sérieux. Il se redresse, la regarde droit dans les yeux et demande:

— T'es sûre que personne t'a vue entrer?

— J'ai vu ton voisin. Il m'a fait de l'œil mais j'ai fait semblant de ne pas le voir.

C'est aussitôt l'angoisse dans les yeux de Blaudelle. Il se lève en repoussant le bras d'Armande et tourne en rond devant le divan. Elle ricane toute seule dans les coussins et finit par lui dire que ce n'est pas vrai; qu'elle a été très discrète comme d'habitude et que

20

personne ne sait rien de leurs petits rendez-vous nocturnes.

Blaudelle n'est pas rassuré plus qu'il ne faut. Il revient vers le divan comme s'il cherchait à se venger.

— Est-ce que t'as lu le livre de Baudelaire que je t'ai prêté?

— Tu sais ben que non. J'en ai lu trois lignes et ça m'a déprimée. Il est aussi fou que toi...

Blaudelle se met à ricaner à son tour et se penche doucement vers Armande. Je crois même qu'il lui chuchote quelque chose à l'oreille. Elle le prend par le cou.

Tout ce qui l'intéresse, Armande, c'est la chemise à palmiers sur fond bleu pâle. Chaque fois qu'ils en sont à se chuchoter des petits mots, elle se passe langoureusement la langue sur les lèvres (pour redonner du brillant à son rouge) et glisse sa main derrière les palmiers de la chemise. Elle étire le bras jusqu'à ce qu'elle touche le soleil, quelque part dans son dos. Quand elle lui fouille dans le tropique comme ça, Blaudelle ramollit. Alors, elle le prend par la taille et le renverse sur le divan.

Blaudelle est encore méfiant mais on sent que ça va lui passer vite.

Armande défait les boutons de la chemise. Une chaleur torride enveloppe le studio. Le disque des *Quatre Saisons* est rendu à l'hiver. Ils se mettent alors à parler de la Floride et à délirer sur l'horizon qu'ils imaginent devant eux. Quel cirque ils peuvent faire ces deux-là dans les coussins!

Au bout d'un moment, Blaudelle arrête de bouger. Le sable se répand sur le plancher de tuiles et la chaleur gagne tout le studio. Le bleu de la chemise éclabousse partout, la mauvaise herbe du Cézanne se remet à pousser et les palmiers plient en deux pour tenir debout dans le studio.

Tout à coup, Armande est en bikini. Blaudelle est enfoui sous les coussins et ne dit plus un mot. Elle est en avance d'au moins six épaisseurs de rêve. Il n'a pratiquement plus une chance de la rattraper.

D'une fois à l'autre, je n'arrive jamais à m'habituer au spectacle. Je ne comprends pas ce qu'il lui trouve à cette bonne femme. Même que, de loin comme ça, ils ont plutôt l'air de se faire mal.

Quand vient le «temps du coup de soleil», c'est encore plus bizarre. Comme elle est par dessus lui, elle fait de l'ombre. Au lieu de se plaindre, Blaudelle endure sans dire un mot. La belle Armande se met alors à hurler comme une damnée. Les cris vont en augmentant jusqu'à ce qu'elle devienne toute raide... Pour montrer que c'est elle qui a gagné, elle pousse alors un grand soupir et fait semblant de s'évanouir.

Blaudelle retient son souffle pour ne pas trop faire de bruit. Armande ronfle pendant une minute ou deux puis elle se lève et disparaît du côté des toilettes. Elle quitte la plage sans même dire bonjour...

On a une entente, Blaudelle et moi. Les jours où je n'ai pas envie d'aller à l'école, il fait semblant de ne pas s'en apercevoir. C'est pour se venger de son enfance qu'il fait ça, je crois. Moi, je ne m'en plains pas.

Lauda dit toujours que je n'apprendrai pas à écrire en restant au studio. Mais si elle savait tout ce que j'apprends quand même.

T'aurais dû voir la tête qu'il faisait le lendemain, Blaudelle. Je l'aurais surpris à se toucher dans les toilettes que ça n'aurait pas été pire. Il avait le nez dans son café jusqu'aux oreilles et faisait semblant d'être encore en Floride.

C'est toujours comme ça après les visites d'Armande. Il s'écrase dans un coin et boude jusqu'à ce que l'inspiration lui revienne. Pour tuer le temps, il lit dans son Livre Noir...

C'est certain que j'aimerais savoir ce qu'il y a dans ce livre-là. Mais dans le fond, ça ne me dérange pas vraiment. J'en profite pour enregistrer des messages à Lauda. C'est notre truc ça, Lauda et moi. Quand on a le goût de se parler, on s'enregistre des cassettes qu'on échange ensuite sur les Plaines d'Abraham. Même que, des fois, je lui envoie les morceaux de piano que je sais jouer par cœur.

Ça le rend malade de jalousie, Blaudelle, quand il me voit parler dans mon super-appareil-cassettes. Il se jette dans son livre et lit tellement fort que ça sent la jalousie dans tout le studio.

«Chère Lauda. Je t'ai enregistré un morceau de piano hier soir. Il est presque parfait, à part la fin où j'ai mis un coup de poing de trop. Tu le trouveras sur la face B de la cassette. Ça s'appelle 'La danse des sabots de bois'. C'est très beau. Bientôt, je vais devenir un grand pianiste et tu seras fière de moi.»

«Depuis quelques jours, Blaudelle est très bizarre. Il a reçu un livre par la poste et il n'a pas cessé de lire dedans. C'est pas un vrai livre... plutôt genre écrit à la main. Et ça sent la boule à mites. J'ai essayé de savoir de quoi ça parlait mais comme je ne sais pas lire... tout ce que je peux dire, c'est qu'on lui a envoyé ça de Campbellton. (Il me l'a dit.) Tu sais comme il est enfantin. Il a toujours peur qu'on en sache trop sur sa vie. Alors il le cache jalousement, son Livre Noir. Mais t'inquiète pas. Je poursuis mon enquête. Dès que j'en saurai plus long, je te dirai tout.»

«À part cette petite histoire, tout est plutôt calme au studio. Blaudelle peint comme un fou et le réfrigérateur est plein.»

«Ah oui, je t'ai pas dit. Il s'est mis dans la tête de faire mon portrait. Ça m'a tout l'air d'une rechute réaliste. Je le trouve moins dérangeant quand il fait de l'abstrait. Mais tu sais comme il est entêté. Tous les jours, il me demande de poser. Tu comprends que, moi, j'ai pas seulement ça à faire. Il faut apprendre de nouveaux morceaux par cœur et ça prend tout mon temps.»

— Antoine, lâche cette maudite machine et viens déjeuner.

«Ça y est, Blaudelle qui s'énerve. T'as dû l'entendre... Alors je te laisse et on se revoit cet après-midi sur les Plaines. N'oublie pas d'écouter ma 'Danse des sabots de bois'. C'est génial.»

Gros becs, Antoine

* * *

Blaudelle ne s'était pas rasé ce matin-là. Il était duveteux comme un vieux minou.

— Écoute, Antoine, j'ai deux choses à te dire.

Je tapais sur le bord de mon verre avec un couteau en essayant de deviner la note. Le nez dans son troisième café, Blaudelle faisait de gros efforts pour ne pas couler à pic.

— Je veux te dire que... je crois que je vais changer de nom. Joeuf, ça ne veut plus rien dire. J'ai trouvé quelque chose de mieux. Quelque chose de très important dans ma vie. Maintenant, je vais m'appeler Madrigal.

— C'est quoi la deuxième chose?

— Quelle deuxième chose?

— T'as dit: Antoine, j'ai deux choses à te dire.

25

— Ah oui, la deuxième chose. Ben voilà. Tu vas trouver que j'insiste, mais je veux faire ton portrait. Ça fait six mois que je suis dans l'abstrait. Faut que j'en sorte, tu comprends? Alors je veux faire ton portrait.

— Et qu'est-ce qu'on va faire du tableau quand il sera fini?

— On le vendra pas, celui-là... je te promets.

— Tu dis toujours ça, mais tu finis par les passer quand tu ne peux plus les voir. De quoi je vais avoir l'air, moi, accroché dans le salon de quelqu'un qu'on connaît pas?

— Écoute, je te promets qu'on le vendra pas. On le mettra sur le grand mur, au nord du studio.

— M'accrocher au mur?

— On le donnera à Lauda...

— Lauda?

Blaudelle et moi, on s'est mis d'accord pour ne jamais parler de Lauda. On évite le sujet. C'est une période bizarre que tout le monde veut oublier, y compris Lauda. J'en sais pas grand-chose d'ailleurs. On est souvent trop petit quand les événements importants arrivent dans notre vie. Je sais seulement que Blaudelle en traîne épais sur le cœur à ce sujet-là.

Quand ils étaient en guerre, tous les deux (la Deuxième Guerre mondiale) ils se criaient des choses pas très correctes. Quelquefois même, Lauda le traitait de bâtard. C'était l'insulte suprême. Le toit du studio volait en morceaux et Blaudelle détruisait tout ce qu'il trouvait sur son passage. La guerre est finie maintenant et c'est mieux comme ça.

26

Ce jour-là, il a installé son chevalet en plein milieu du studio, juste devant le piano. Il s'est agité devant sa toile, comme d'habitude, puis s'est mis à faire des beaux mélanges de couleurs. Ça lui fait toujours le même effet quand il peint réaliste. Il devient très nerveux, s'arrête souvent et réfléchit très fort.

— Mais reste un peu tranquille, Antoine! Joue-moi quelque chose plutôt, ça te fera pas mourir.

— J'ai pas envie. Je n'aime pas faire semblant de jouer quand tu fais tes tableaux.

— Alors joue pour vrai. C'est la meilleure façon d'apprendre...

— C'est avec l'appareil-cassettes qu'on apprend la musique maintenant; en se ré-écoutant et en se ré-écoutant.

— Crois-tu vraiment?

— Oui, monsieur... On voit bien que tu connais rien aux nouvelles techniques.

— Bon, peut-être, mais on va pas se mettre à discuter. Je veux seulement faire ton portrait. Tu fais partie de mon univers pictural. J'ai besoin de faire ton portrait, Comprends-tu ça?

— Laisses-en un peu pour les autres!..

— Non, non, tu comprends pas. Je veux dire, de mon environnement pictural.

— T'as raison, je comprends pas.

Il part toujours dans de grandes explications comme ça, Blaudelle. Comme s'il portait tout le poids du monde sur ses épaules. Je me sens presque obligé de l'aider. Et d'une fois à l'autre, je me fais prendre. Je lui joue toutes sortes de petits morceaux en automatique; sans micros et sans mon appareil-cassettes génial. On finit toujours par s'arranger, bien sûr, mais quel égoïste!

Il a eu droit au «Fifre» ce matin-là; tu sais cet air de flûte complètement débile que jouait le musicien quand il a conduit les enfants du village à la rivière pour les noyer. Rien d'impressionnant à première vue, mais joué au piano... vraiment génial. Rubinstein en aurait eu des nœuds dans les doigts.

Si j'ai décidé d'écrire mes mémoires, c'est surtout à cause de Gunther Haussmann. Gunther, c'est l'accordeur de piano. Un espèce d'Allemand qui jouait du jazz quand il était jeune. On n'a jamais su comment il était devenu accordeur. On sait seulement que ça lui a donné mauvais caractère. Mauvais caractère et toutes sortes de tics énervants. Quand il entre dans le studio, par exemple, il fait semblant de n'être jamais venu et nous salue dans de grands gestes inutiles. Il parle en formules de politesse et on n'a presque rien à répondre sauf merci.

Je jouais ma petite rengaine depuis une heure au moins quand il est arrivé. Le «Fifre» passait et repassait sur le clavier. J'étais comme un petit soldat de bois qu'on remonte et qui tape le tambour jusqu'au bout du ressort.

— Force-toi un peu, Antoine. T'as l'air d'un ringard. Mets-y un peu de cœur.

— Pas envie.

— Comment, pas envie! Et tu crois que c'est comme ça qu'on devient un grand pianiste?

— Tu t'en fous, toi, que je devienne un grand pianiste; la seule chose qui t'intéresse, c'est de faire un grand tableau.

Commentaire superflu. Blaudelle s'est vexé et m'a jeté un coup d'œil terrible par dessus le chevalet. Au même moment, la porte a grincé... et une caisse de métal est tombée dans le studio. Une belle caisse toute rouge avec des poignées chromées genre professionnel. Je suis descendu de mon banc pour voir ça de plus près et Blaudelle a fait sa crise. Il a jeté le pinceau au bout de ses bras et s'est mis à hurler des injures dans tous les sens. Je n'ai pas eu le temps d'avoir peur. La porte s'est ouverte une deuxième fois et Gunther Haussmann est entré comme s'il arrivait chez lui.

— Avec tout le respect que je vous dois, Messieurs...

Le pinceau est retombé sur le divan fleuri. Blaudelle a fait une émeute à l'autre bout du studio et Gunther, toujours aussi poli, a dit une autre de ces phrases où il faut absolument répondre merci.

— Vous excuserez mon entrée... caisse première. Je viens de m'acheter un nouveau diapason. De la vraie magie. Un instrument d'une justesse inouïe. Mais il faut le garder bien au chaud pour qu'il reste juste. Métal très fragile, vous comprenez. Ça ne supporte pas le froid. Quand je vais travailler le matin, je dois d'abord chauffer la voiture avant de mettre le coffre dedans. Et quand j'arrive chez les clients, faut tout de suite entrer le diapason... Vous devez comprendre ces choses-là, vous, monsieur Blaudelle?

Au lieu d'essuyer la tache de peinture sur le divan, Blaudelle en a fait une fleur. Ça l'a calmé un peu. Il est revenu en grognant:

— C'est bien. Comme ça vous irez plus vite...

— Plus vite, je ne sais pas. Mais plus juste, sûrement.

Il déteste qu'on le dérange quand il peint, Blaudelle. Il dit que c'est sacré et pour être sûr que Gunther le comprenne bien, il s'est mis à lui dire des vacheries.

Tu parles si ça l'a dérangé, l'accordeur. Il a frappé dans ses mains deux ou trois fois, en marchant dans le studio (pour vérifier l'acoustique). Un peu plus loin, il s'est même arrêté devant le tableau à moitié fini. Blaudelle a rougi. L'Allemand a mis ses lunettes, s'est penché sur la toile et a marmonné quelque chose.

Blaudelle s'est mis à angoisser. Gunther s'en est aperçu et il m'a tout de suite raconté une histoire sans bon sens pour détendre l'atmosphère.

— La chose la plus difficile dans mon métier, c'est de repérer les pianos désaccordés. Tous les jours, il faut se promener dans les rues de la ville et écouter la musique qui vient des maisons. Dès que ça sonne faux, on s'arrête, on cogne à la porte et...

Il est comme ça, Gunther, quand il me parle. Il se sent obligé de dire des bêtises. Ça lui donne des airs de vieillard radotant et je crois qu'il aime ça. Je lui ai dit que je croyais pas un mot de ce qu'il disait.

— Bien sûr que c'est vrai.

— Mais alors, vous faites le trottoir, c'est ça?

31

— Faut bien que quelqu'un le fasse. Les pianos désaccordés, c'est insupportable.

— Je suis sûr qu'il existe un super-appareil-cassettes à micro automatique qui vous ferait ça pour pas cher. Ça vous éviterait le trottoir.

— Il n'y a pas un micro qui vienne à la cheville de mon diapason. Et, de toute façon, je connais les rues de la ville par cœur. Là où il n'y a pas de piano, je ne passe même plus.

Comme l'accueil était plutôt froid, Gunther a pris son coffre de métal rouge et s'est approché du piano.

Derrière le chevalet, Blaudelle regardait son tableau, l'air très grave. Je crois qu'il avait oublié de mettre les pédales à son piano.

— Maintenant, il me faut le silence parfait. Pour bien accorder ces machins-là, il faut de la concentration.

Gunther Haussmann s'est alors agrippé au grand panneau de bois devant l'instrument et l'a fait sauter sur son axe. C'est impressionnant de voir tout ce qu'il y a dans le ventre d'un piano. Un fouillis incroyable. Je me suis demandé comment il faisait pour s'y retrouver. Il s'est tout de suite penché vers son coffre pour prendre le diapason. C'est une espèce de petit instrument en forme de fer à cheval. Ridicule comme truc, surtout qu'Haussmann a des gros doigts en boudin.

— Ça ne donne qu'une seule note, m'a-t-il dit. Mais quelle note! Un beau la 440.

J'avais envie de rire, mais le plus drôle était encore à venir. Il a pris son diapason, l'a cogné sur le coin du piano et s'est mis ça dans le creux de l'oreille. Pour être poli, je lui ai demandé à quoi ça servait, un instrument qui ne faisait qu'une seule note.

— D'abord, ce n'est pas un instrument et puis c'est déjà beaucoup, une note... quand elle est juste.

J'ai compris qu'il n'avait pas envie de discuter. Il m'a ensuite passé une espèce de clef à long manche sous le nez et l'a accrochée après une des chevilles dans le cœur du piano. Le concert était sur le point de commencer...

— Attendez un peu. Attendez. Je vais enregistrer ça sur cassette. La prochaine fois, je ferai les ajustements moi-même.

J'aurais mieux fait de me taire. Gunther s'est raidi, m'a pris l'appareil-cassettes des mains, l'a retourné dans tous les sens et s'est mis à lire les inscriptions techniques gravées sur le boîtier.

— Tu te moques de moi ou quoi? Je t'ai dit qu'il n'y avait pas d'appareil capable de faire mon travail. Serre-moi ça tout de suite et regarde bien comment je fais. Un bon jour, quand tu seras vieux et que tu ne joueras plus de musique, tu pourras accorder les pianos toi aussi.

— Comment ça, quand je ne jouerais plus de musique? Je n'ai pas du tout l'intention de m'arrêter, moi. Je vais jouer du piano toute ma vie.

— On dit ça, on dit ça quand on est jeune... mais écoute bien et ne fais plus de bruit.

Je le trouve insupportable, Gunther Haussmann. Il est prétentieux comme tout et ce n'est même pas un musicien. Il tape toujours sur les mêmes notes, une à

33

la fois et au moins dix coups de suite. Si c'est ça le jazz, je comprends qu'il ait abandonné.

Je n'osais plus bouger. Tout s'était arrêté et je détestais ce vieux bonhomme assis à côté de moi sur le banc. Et bing bing bing... il continuait de taper, toujours sur les mêmes notes. Je l'ai regardé longtemps... très longtemps et puis tout à coup, j'ai vu ses yeux. Il écoutait la musique tellement fort que ça le rendait aveugle. Ses paupières étaient toutes grandes ouvertes mais il ne regardait nulle part. Il avait l'air d'un infirme. Ça m'a fait peur et je lui ai demandé:

— Pourquoi vous dites qu'on ne peut pas jouer de la musique toute sa vie? Vous devez avoir des problèmes avec votre pipi vous aussi.

C'était pas tout à fait ce que je voulais dire. Les mots me sont sortis de la bouche sans faire exprès. Blaudelle a relevé la tête et Gunther s'est arrêté net.

— Antoine, je vais te laver la bouche avec du savon. (Blaudelle et ses bonnes manières...)

Dans un geste qui a semblé lui demander beaucoup d'effort, Gunther s'est tourné vers moi et m'a passé sa grosse patte dans les cheveux.

— T'as peut-être raison. Si on veut vraiment, on peut jouer de la musique toute sa vie.

— Alors, est-ce que je peux enregistrer le morceau que vous êtes en train de jouer sur ma cassette?

— Non! Et tais-toi maintenant. Écoute avec tes oreilles plutôt.

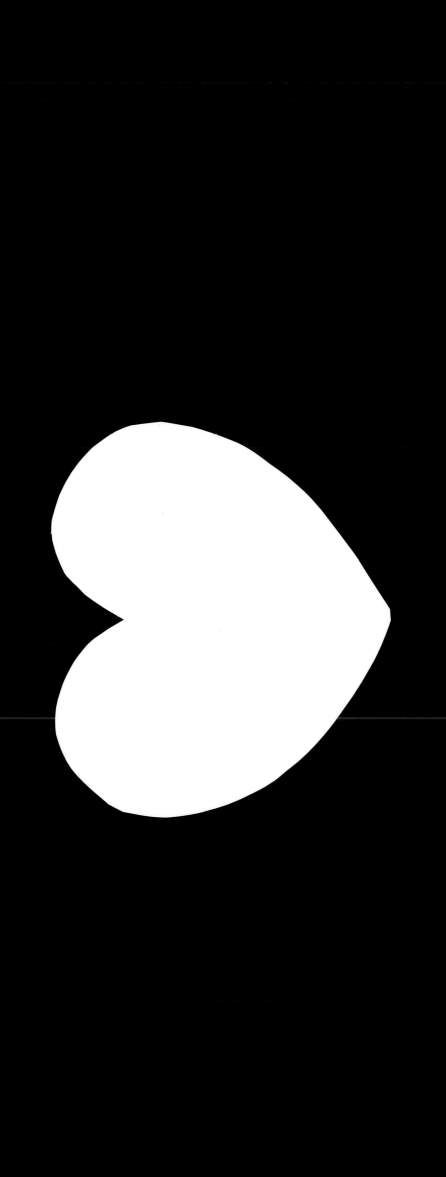

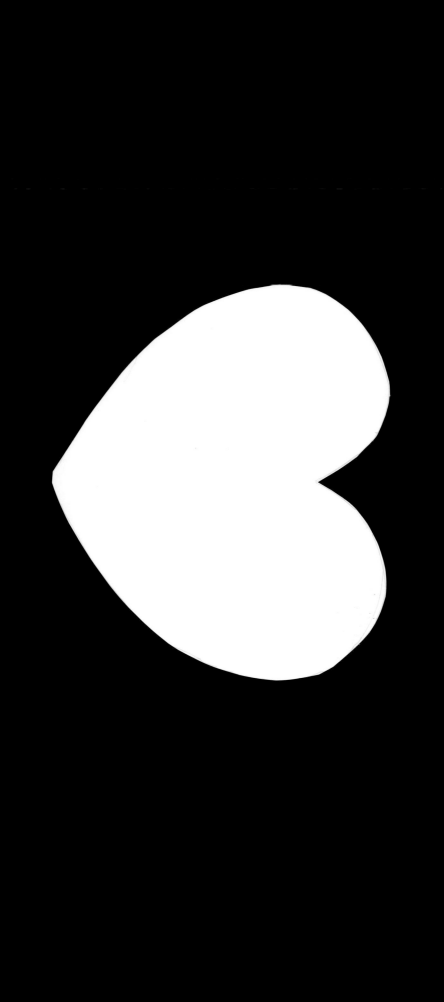

Il lui a fallu une bonne heure au moins, pour faire son numéro jusqu'au bout. Une heure à me casser les oreilles. Blaudelle en a profité pour terminer son tableau et quand tout a été fini, l'accordeur s'en est pris à mon père.

— Pourquoi vous le laissez jouer avec ce machin-là?

Blaudelle piétinait derrière son chevalet. Il a marmonné quelque chose en prenant bien soin de ne pas se faire comprendre et c'est moi qui ai répondu. Je lui ai dit que c'était la nouvelle façon d'apprendre la musique et que ça ne m'étonnait pas du tout qu'il ne soit pas au courant.

Il s'est tranquillement baissé, a remis le diapason dans son coffre et m'a regardé un long moment. J'étais sur le point de rougir quand il a enfoncé son gros doigt dans ma poitrine et m'a dit:

— C'est avec le cœur qu'on joue de la musique, jeune homme. Taper sur des notes parce qu'on les a apprises par cœur, ça ne donne rien du tout. Ce n'est même pas de la musique. Ce n'est rien du tout...

Je le regardais dans les yeux et je cherchais quelque chose de plus méchant encore à répondre. Il a fait semblant de ne rien voir et s'est tourné vers le piano pour jouer un peu. Au début, ça n'avait l'air de rien

35

mais après un moment, tout s'est éclairci. Les gros doigts paresseux de Gunther étaient partout sur le clavier. Et la musique qui sortait de mon piano ne ressemblait à rien de connu. Jamais je n'avais entendu quelque chose d'aussi beau.

— Dans quel cahier t'as trouvé ça?

Pour toute réponse, il s'est contenté de hausser ses grosses épaules. Comme j'insistais, il m'a quand même dit qu'il le connaissait depuis toujours, ce morceau.

— Est-ce que ça te dérangerait de recommencer au début? Je voudrais l'enregistrer sur ma cassette.

Je m'attendais au pire. Mais non, rien du tout. Il s'est arrêté poliment et m'a fait signe de mettre l'appareil en marche.

— Le titre du morceau c'est: *You don't kill a piano player*.

— Comment tu dis?

— Je te l'écrirai sur un papier après.

— Bon, alors ça roule.

* * *

Quand Gunther Haussmann est parti, après son concert, je suis allé voir ce que Blaudelle avait fait, pendant tout ce temps-là. Je n'ai pas été surpris du tout. Il avait dessiné le piano, bien sûr... mais sans mettre le pianiste devant. Ne te demande pas pourquoi je ne veux plus poser pour lui... Je reste planté là, devant son chevalet

36

pendant des heures et des heures, et quand c'est terminé, je ne suis même pas dans le portrait.

Il a eu le culot de me demander ce que j'en pensais. Je lui ai dit que c'était un beau piano mais que je n'aimais pas tellement quand la peinture dégoulinait. Il prétend que ça fait chic, de dégouliner. Je suis allé dans ma chambre et j'ai téléphoné à Lauda.

En revenant, j'ai fait un grand détour par le divan fleuri, question de me changer les idées. Je l'avais encore sur le cœur, l'histoire de Gunther Haussmann. Avec le walkman dans mon sac, j'écoutais le *You don't kill a piano player* et j'étais mort de jalousie. Dingue, ce morceau-là. Vraiment dingue.

Quand je suis passé près de Blaudelle, il avait le nez dans son Livre Noir. Je lui ai dit que je l'attendais dehors. La porte s'est refermée derrière moi et je me suis retrouvé tout seul avec mes oreilles.

LE LIVRE NOIR

Le 4 mai 1945

Moi, Céleste Beaumont, déserteuse d'une guerre qui ne m'a pas fait mourir, je m'éteins doucement dans une paix que j'ai trouvée à New York. Je vis avec John Devil, un violoniste noir que j'ai rencontré à Montréal et qui fera parler de lui dans le monde entier. Je vis la paix dans l'âme, à l'ombre des grands édifices. J'ai toujours été révoltée, mais ma vie s'est rouillée prématurément comme une vieille tôle rongée par le sel.

Tous les soirs, John Devil fait de la musique dans les clubs de jazz de la ville. Je ne l'accompagne plus au piano. Mes doigts se sont refroidis et je n'arrive plus à le suivre. Pour nous parler, nous avons une langue qui n'est pas celle des autres. Les mots sont là, bien sûr, mais l'onde qui nous berce est celle de la musique. Il m'arrive de voir l'émotion quitter son corps et venir tranquillement vers le mien. Les gens qui nous entourent ne comprennent pas. Ils sont dépassés par ce jargon qu'ils n'essaient même plus d'expliquer et nous laissent seuls.

J'ai eu un fils. C'est à lui que je parle tous les jours dans cette longue lettre qui n'en finit plus de s'étirer. John Devil croit que tant que j'écrirai, le froid ne se répandra pas dans mon corps. Je suis prête à le croire.

Mon mari est tombé au front de cette guerre qui a fait de lui un héros. On lui a érigé un monument de granit à Campbellton. Et moi je suis déserteuse. Déserteuse d'un mari, d'un enfant et d'une guerre. Mais je ne regrette rien. J'ai compris qu'on ne pouvait gagner toutes les batailles.

Je suis là, à New York, et j'ai tout à coup les mains comme celles de ma mère: glacées et éteintes. J'écris ces mots les uns au bout des autres dans des lettres qui se confondent.

Mon histoire se résume à peu de chose. Un jour, au beau milieu de ma vie, le cinéma muet s'est mis à parler. Ce jour-là, Pierre Blaudelle s'est tu et son silence m'a brisée. La guerre s'en est mêlée, maudite guerre, et maintenant j'attends. On dit que demain, ce sera terminé... Mais on dit ça tous les jours.

Le 13 décembre 1943

Toute la nuit je me suis dit qu'il faudrait bien un jour te raconter ce qui s'est passé. J'ai reculé dans le temps jusqu'à l'aube et me suis réveillée épuisée. J'ai peur de ne plus me souvenir.

Je t'écris de New York et je me moque du tourment qui m'a conduite dans cette ville. Je t'écris comme on raconte une histoire, en prenant le thé. Voilà comment j'en suis venue à voir les choses: de très haut et de très loin.

Une date me revient: 1922. J'avais douze ans. Il y avait une montagne en face de Val-d'Amour; une toute petite butte de rien du tout quand j'y repense. Je voulais voir mon village du point de vue de Dieu. Depuis le temps qu'on nous disait qu'Il était là-haut et qu'Il nous épiait.

Je m'en souviens comme si c'était hier. Arthur, mon frère aîné, avait accepté de m'accompagner à la seule condition que je marche devant. Il était plus intéressé à regarder sous ma robe qu'à connaître le point de vue de Dieu.

43

Il était bête, Arthur. Il était bête et n'avait qu'une ambition dans la vie. Mettre sa main dans ma culotte. Mais je n'aurais osé y aller seule sur la montagne. Alors on s'était entendus... même si le prix à payer chatouillait quelque peu ma pudeur.

Quelle déception j'ai eue ce jour-là! Val-d'Amour n'était qu'un petit tas de taudis dans le fond d'une vallée. Tellement minuscule que l'œil de Dieu ne pouvait perdre son temps à nous regarder. Tellement rien du tout que j'eus l'impression d'avoir été trompée.

Arthur n'en revenait pas, lui. Il voyait notre village en plus beau qu'il ne se l'était imaginé et faisait de grands signes à Beauty, son cochon savant.

C'est là que pour la première fois j'ai tourné le dos à Val-d'Amour et que j'ai découvert cette immense ville qu'est Campbellton. Jamais je n'avais vu une chose pareille. Il devait y avoir deux cents maisons, au moins. Peut-être même plus encore. Mon cœur cessa de battre un moment et la grande cheminée du moulin des Blaudelle, pointant le ciel avec défiance, se grava une fois pour toutes dans ma mémoire.

Maintenant que je suis à New York et que les grands édifices font de l'ombre dans ma vie, j'ai compris qu'elle n'avait jamais rien défié, cette cheminée. Mais quand on a douze ans...

J'étais hypnotisée par la ville. Debout sur ma montagne, je rêvais tout haut et je disais à Arthur qu'un jour je serais la reine de Campbellton. Tu parles s'il s'en moquait de mes rêves, lui!

Je sentis alors sa main glisser le long de ma cuisse. J'avais l'habitude de le repousser quand il me faisait

LES PORTES TOURNANTES

le coup, mais ce jour-là, j'ai écarté la jambe sans dire un mot. Ses doigts ont plongé dans ma culotte et le cœur m'est remonté à la gorge. Adossée contre une pierre, je regardais la cheminée du coin de l'œil, sans m'occuper de ce qu'Arthur faisait sous ma robe.

Tout cela me fait bien rire aujourd'hui. Il n'était pas méchant, Arthur. Il se payait, comme les hommes se paient toujours. Il m'aura fallu venir à New York et rencontrer John Devil pour gagner un peu en dignité.

J'avais quinze ans quand j'ai pris la place de ma mère au piano. J'attendais mon tour depuis longtemps déjà. À la regarder jouer, je savais déja comment faire.

Tous les soirs, mon père sortait son violon et nous jouait des «reels». C'était le dessert. Comme il y avait quatorze bouches à nourrir, on préférait jouer un peu de musique... ça faisait plus de bruit et c'était moins cher. Un de mes frères jouait de la cuillère; les autres tapaient sur ce qu'ils trouvaient. Les mains de ma mère étaient de moins en moins souples... de plus en plus raides. Un jour, elle s'est arrêtée, en plein milieu d'un morceau. Mon tour était venu. Elle m'a souri et s'est assise à côté du piano. Personne ne s'est aperçu de rien. C'était une affaire entre femmes.

On était connus dans les deux ou trois villages voisins. Tout le monde savait que la famille Beaumont crevait de faim mais qu'on y jouait de la musique à tout défaire. Un jour, un homme d'affaires s'est présenté chez nous. Il a demandé qu'on lui joue quelque chose. Mon père a sorti son violon, nous a donné la note et après trois «reels», l'homme a levé la main. On s'est

45

arrêté, il a tiré mon père dans un coin et ils ont discuté un long moment.

John Alfred Litwin était le propriétaire du cinéma muet de Campbellton. Il se cherchait une pianiste pas cher...

Quand ma mère fit ma valise ce soir-là, j'ai vu l'inquiétude dans ses yeux. Elle se demandait qui allait me remplacer. Ses mains endurcies ne savaient plus jouer et le peu de tendresse qui lui restait au bout de ses quatorze enfants n'avait pas de quoi accompagner un «reel» jusqu'à la fin.

Je me souviendrai toujours de l'instant où je suis montée dans la voiture de Litwin. Tous ces yeux qui me regardaient, comme si je marchais vers ma perte. Personne ne voulait vraiment que je parte, mais Litwin avait promis de verser la moitié de mon salaire à la famille; une offre qu'on ne pouvait refuser, avec encore dix enfants à élever. Tous ces yeux qui essayaient de me retenir encore un peu. Mais je regardais déjà vers la grande ville et, secrètement, je n'avais qu'une envie; ne plus jamais revenir sur mes pas.

Le 29 janvier 1944

Pour se rendre à Campbellton, il fallait suivre une petite
route cahoteuse et contourner la montagne, celle-là
même que j'avais escaladée avec Arthur. Litwin avait
les yeux collés au pare-brise et jurait contre la route.
Quand il tournait la tête, ce n'était pas mes yeux qu'il
cherchait mais bien mes cuisses, sous ma robe. L'histoire
d'Arthur sur la montagne et celle de Litwin dans sa
voiture se confondent dans mon esprit. Mais l'image
de Campbellton et de sa cheminée pointant le ciel ne
me quittera plus jamais.

Je ne sais plus si Litwin essaya de jouer sous ma
robe ce soir-là, ou s'il eut la délicatesse d'attendre au
lendemain. Peu importe, ma réaction fut la même. Ce
monsieur m'avait sortie de Val-d'Amour et je lui en
était reconnaissante. Jamais je n'oublierai ce long gro-
gnement qu'il fit lorsque j'écartai la jambe sans protester.
Il avait eu du flair, le vieux. Trouver aussi facilement
quelqu'un qui connaisse les règles du jeu.

Étendue sur le dos, insensible à tout ce qui se
passait plus bas, j'imaginais la cheminée du moulin

47

des Blaudelle et j'y voyais ce que voient les immigrants, lorsqu'ils découvrent la statue de la Liberté dans le port de New York.

Les trois années qui suivirent mon départ de Val-d'Amour marquèrent la période la plus sombre de mon existence. Je n'en retiens que ces journées interminables à répéter des «rag-times» pour les jouer ensuite le soir venu, dans le cinéma de Litwin... suivies de lendemains tout aussi interminables à apprendre d'autres «rag-times» pour encore les jouer sur d'autres films.

Mais c'est de cette période que me vient toute ma musique. De ce long tunnel gris et sans fin. De ce purgatoire passé à répéter et répéter sans cesse les mêmes morceaux.

Litwin m'avait installée dans la cuisine d'été de sa maison. Tous les jours et sans prévenir, il entrait chez moi, s'asseyait sur le banc de piano, m'écoutait un moment et bavait sur mon clavier. Sa femme ne disait jamais rien. Quant je lui adressais la parole, elle me dévisageait de ses grands yeux moroses et se tournait vers lui pour qu'il réponde.

J'ai mis du temps à prendre ma place. Beaucoup de temps même. Puis un jour, j'ai basculé dans la musique. La passion est arrivée comme viennent les voleurs et à partir de ce jour, plus rien ne m'a dérangée. J'étais devenue imperméable à Litwin et à toute la tristesse de son personnage. Le bonheur était là, au bout de mes doigts et il suffisait de m'asseoir au piano pour le cueillir.

Plus je gagnais en assurance, plus je soulevais la foule dans mon cinéma. Je me laissais envoûter par la musique et quand je levais les yeux vers l'écran, je m'imaginais déjà dans le film. Il n'en fallait pas plus pour que je devienne virtuose. Si c'était le seul moyen d'agir sur mon sort, j'étais prête à répéter jour et nuit et à me laisser emporter dans la ronde jusqu'à en perdre la tête.

J'avais vingt ans et je venais de tuer la peur. Vingt ans et j'avais assez de talent pour jouer toute une vie. Le bonheur se montrait le nez au bout de trois mesures d'un morceau et je ne le lâchais plus, tant que j'avais encore la force de jouer.

Le 8 mars 1944

Il y a des matins où je me demande si l'engelure ne va pas me prendre le cerveau. New York est égale à elle même et j'écris... j'écris sans me souvenir de ce qui est déjà dit ou de ce qu'il me reste à dire.

John Devil se penche souvent sur mon épaule et me dit de continuer, que l'hiver va passer. Je l'aime tellement que j'ai envie d'y croire. Cet homme me fascine. Il me disait hier encore qu'il comptait vivre jusqu'à cent soixante-quatorze ans. Il va sûrement y arriver. Les journaux de New York disent qu'il est le plus grand violoniste de jazz au monde. Bien sûr, ils écrivent cela en page trente et un et parlent de la guerre dans tout le reste du journal. Mais ils le disent quand même.

Maudite guerre.

Je te parlais de Litwin. Je venais d'avoir vingt ans. C'est à partir de ce moment-là que j'ai commencé à vivre. On se souviendra de moi comme de la plus grande pianiste de cinéma muet de Campbellton. Ça te fera rire peut-être. Mais à l'époque, c'était quelque chose. Les gens venaient de très loin pour me voir. Plusieurs me disaient qu'ils ne regardaient même pas le film...

Je passais mes nuits entières à me confectionner des robes comme celles que je voyais dans les revues de cinéma. Je savais tout d'Edna Purviance, de Harold Lloyd ou d'Elsie Ferguson. Je les connaissais, je leur parlais dans mes rêves et j'étais invitée dans leurs luxueuses résidences de Hollywood. On croyait que j'étais folle, on riait de moi mais quand je m'asseyais au piano, ils basculaient tous dans mes illusions. Ils tombaient tous dans le panneau comme ces enfants qui suivent le joueur de flûte jusqu'à la rivière.

Après le film, je «recevais» dans ma loge... Ma loge, enfin, c'est beaucoup dire. Je «recevais» dans l'arrière-boutique du cinéma. Certains venaient voir mes robes de plus près, d'autres voulaient que je leur parle de Charlie Chaplin. Je savais tout sur Hollywood et ce que je ne savais pas, je l'inventais.

«C'est un taxi qui m'a emmenée jusqu'à la jolie maison blanche qu'occupe Elsie Ferguson sur la «fashionable» Park Avenue de New York. Un groom m'a introduite dans une petite mais exquise pièce blanche au deuxième étage où j'ai d'abord remarqué une énorme peau d'ours blanc servant de tapis. Un peu plus loin, il y avait un magnifique miroir chinois et un portrait de Miss Ferguson. J'étais un peu nerveuse de rencontrer Elsie pour la première fois. Elle occupe une place à part dans le monde du cinéma. C'est une aristocrate. Sa secrétaire, une délicieuse jeune femme, est venue

51

me parler un moment. Soudain, Miss Ferguson est apparue. Elle avait un sourire charmant. En s'avançant vers moi, elle m'a tendu la main. Je lui ai dit combien j'étais heureuse de la rencontrer et elle m'a répondu: Mais c'est vous qui me faites plaisir en venant me voir. En quelques minutes, comment dire, nous étions déjà amies. C'est alors qu'elle s'est penchée vers moi pour me confier: Vous êtes une femme et naturellement, ce sont surtout les costumes qui vous intéressent. Je vais rarement dans les magasins parce que les costumes que je porte sont dessinés tout spécialement pour moi. En ce moment, je me prépare à tourner *Footlights* et dans ce film, je porte une foule de costumes épatants et très différents de ceux que je porte habituellement. Peut-être vous intéresseront-ils? C'est alors qu'Elsie m'a montré sa garde-robe. Bouleversant.»

...Et ils me croyaient, mes admirateurs de Campbellton. Ils étaient convaincus que je passais mes après-midi à Hollywood et que je revenais à temps pour le film du soir.

Mes relations avec Litwin avaient changé du tout au tout. Il ne me touchait plus. J'étais devenue le veau d'or qu'on vénère. Tous les soirs, nous faisions salle comble et je le soupçonnais de passer ses nuits à compter la recette. À force d'imagination, je m'étais hissée «à l'étage supérieur» et même si Litwin était encore propriétaire, même si je lui appartenais toujours, il ne pouvait rien contre moi.

Je prenais un plaisir fou à me présenter à la toute dernière minute au cinéma. La salle était pleine à craquer et Litwin m'attendait dans l'arrière-boutique. Il suait à grosses gouttes et regardait par terre pour éviter de voir mes tenues excentriques. Seul un tout petit rideau nous séparait du public. Les toussotements d'impatience lui glaçaient le dos. Il me demandait où j'avais passé l'après-midi et je lui disais: New York. Ça le rendait fou.

J'étais devenu irremplaçable. Mon public m'adorait et n'aurait jamais toléré qu'on me remplace. Dans une certaine mesure, j'étais leur seul droit au rêve, le trait d'union entre leur triste vie et le monde fascinant de Hollywood.

Après avoir appris que tout se payait ici bas, je venais de découvrir le grand art du chantage. Et qu'est-ce que j'ai pu le faire souffrir, Litwin! À l'heure où j'aurais dû être assise au piano, j'étais encore dans la loge à lui soutirer des sous, pour le simple plaisir de la chose.

— Faut pas exagérer, vous allez me ruiner...

— Si c'est comme ça, je m'en vais. Vous n'avez qu'à trouver quelqu'un d'autre.

Il perdait tous ses moyens. Il se mettait à bégayer, à dire n'importe quoi.

— Il y a d'autres musiciens à Val-d'Amour...

Tu parles! Je lui rappelais alors tout ce que j'avais dû endurer lorsque j'étais arrivée à Campbellton. Les gens tapaient de plus en plus fort dans la salle. Litwin suait comme d'autres pleurent. Je m'assoyais sur la table, provoquante comme les actrices de mes films et je lui soufflais dans le cou:

— Vous voyez, on me réclame...

Alors Litwin finissait par lâcher quelques grosses pièces et je plongeais dans la salle comme le dompteur dans sa cage. Dès qu'on me voyait apparaître, le calme revenait. Litwin sortait de la loge à son tour et me disait en passant:

— Attendez... attendez seulement que le cinéma parlant arrive.

Je riais de lui devant tout le monde et je prenais place au piano comme les actrices devaient faire quand elles s'assoyaient dans leur limousine.

«*And now ladies and gentleman... Miss Céleste Beaumont*», que je me criais très fort à moi toute seule.

Les premières images tombaient, Charlot faisait un bond dans le décor et venait tout de suite me saluer dans le coin de l'écran. Je lui retournais la politesse, il attendait que je donne la note et le film commençait. Je partais à ses trousses comme une déchaînée et la salle était emportée jusqu'à l'ivresse.

LA RUE MATISSE

Le studio de la rue Matisse est accroché à la falaise, juste au bout de la haute ville. Au moindre faux pas, on peut tomber et c'est la hantise de Blaudelle. Il a une peur bleue de se retrouver dans la basse ville et de ne plus pouvoir remonter. On dit que la vie est moins tordue là-bas... et c'est très mauvais pour la peinture quand tout est trop simple. C'est pour ça qu'il ne marche jamais le long de la falaise, mon père.

Les jours où je ne vais pas à l'école, on va sur les Plaines d'Abraham. Pendant que Blaudelle se fait une toile, moi j'ai rendez-vous avec Lauda. Elle travaille au Grand Théâtre, ma mère, et comme le Grand Théâtre, c'est surtout utile le soir, elle vient me voir dans le parc l'après-midi. On se raconte toutes sortes de choses et on s'échange nos cassettes.

Quand Blaudelle a fini ses ravages, je vais le rejoindre et on rentre à la maison. Il fait un peu de jalousie électronique à cause des cassettes mais, en général, ce n'est jamais bien grave.

Entre la rue Matisse et les Plaines d'Abraham, il y a une demi-heure de marche environ. En longeant la falaise, on remonte la rue Van Gogh jusqu'au Musée d'art contemporain, on traverse le boulevard Monet et on suit la rue Lemieux jusqu'au bout. Moi je n'aime pas tellement passer par là. Trop tranquille.

— Pourquoi on passerait pas par le Grand Théâtre aujourd'hui?

Embourbé dans son bric-à-brac, Blaudelle cherche toujours des bonnes raisons mais n'en trouve jamais.

— C'est trop long, par là...

— Pas tant que ça. On continue juste un peu sur la falaise (ça le fait mourir) et on prend Berlioz jusqu'au Grand Théâtre. De là, on traverse le boulevard Verdi et on est rendus.

— C'est trop bruyant, je trouve. Par le musée, c'est plus inspirant.

— On pourrait bien passer par la route qui me plaît une fois de temps en temps.

* * *

À force d'écouter *You don't kill a piano player* sur le walkman, je commençais à comprendre comment il faisait son compte, le vieux Gunther. C'est les pédales qui font la différence. Même s'il joue seulement du jazz, au moins il est assez grand pour jouer avec ses pieds.

Blaudelle marchait derrière moi et me disait des choses, mais avec la musique à fond, je n'entendais

58

rien. Sur Berlioz, juste avant d'arriver au Grand Théâtre, il s'est mis à crier.

— Tu veux pas enlever tes écouteurs ? J'ai quelque chose à te dire.

Je fais semblant de ne pas entendre et je m'amuse à trouver le chemin le plus court, parmi toutes les jambes, entre un coin de rue et un autre.

— Merde ! Je te parle, Antoine. Vas-tu m'écouter ?

C'est très pratique pour ça, les écouteurs. Tu n'entends rien quand quelqu'un te crie par la tête. Mais Blaudelle ne lâche jamais prise...

— Il a bien raison, Gunther. Tu devrais arrêter de t'amuser avec ce machin-là.

C'est toujours dans des endroits publics qu'il étale nos problèmes. Les gens se retournent sur son passage et font des détours pour éviter ses grands gestes. Quand ça lui prend, je sais ce qu'il faut faire maintenant. Je marche encore plus vite et fais semblant de ne pas le connaître. Ça l'essouffle et il finit par se taire.

Au coin de Gershwin et de Berlioz, il y a un feu rouge. Chaque fois qu'on y passe, la vie s'arrête un petit moment. Un vieux monsieur tout décrépit monte la garde, près d'un poteau de téléphone. Comme je ne suis pas assez grand, je lui demande d'appuyer sur le bouton de commande des feux. Il met un certain temps à comprendre, mais finit toujours par mettre le doigt dessus. (Je l'appelle le Presse-Bouton.)

Blaudelle arrive derrière moi en gueulant. Je pousse le volume de ma cassette au maximum et je fais comme si je ne le voyais pas.

— C'est très bien de répéter le piano comme tu fais, mais il ne faut pas forcer les choses. Faut s'arrêter des fois et écouter le petit joueur de tambour qu'on a dans le ventre. (N'importe quoi pour attirer mon attention.)

Presse-Bouton se tourne vers mon père qui n'arrête pas de lui crier dans les oreilles. Comme s'il avait fait ça toute sa vie, il se penche, tire sur le fil de mes écouteurs et coupe le contact. Il prend ensuite la fiche, la met dans les mains de Blaudelle et lui fait signe de parler dedans. Blaudelle en a le souffle coupé. Presse-Bouton traverse la rue sans attendre le feu vert et toutes les voitures s'arrêtent pour le laisser passer.

On reste plantés là comme deux idiots, Blaudelle et moi. Il nous a fallu au moins deux changements de feux pour nous en remettre.

— En fait, ce que je veux te dire, c'est que tout à l'heure, j'ai pas pu faire ton portrait. Gunther nous est tombé dessus et ça m'a coupé l'inspiration. J'ai juste eu le temps de faire le piano...

Il aurait pu commencer par moi, mais il ne veut surtout pas l'avouer... Le feu passe au vert pour la troisième fois et on traverse. Comme j'ai pas tellement envie d'entendre le reste de l'histoire, je me remets les écouteurs. Le calme est revenu.

De l'autre côté de la rue, c'est le Grand Théâtre et dans les vitrines du Grand Théâtre, il y a toujours des affiches de musiciens. C'est un peu pour ça que j'insiste pour qu'on passe par là. Ça m'impressionne, les affiches de musiciens.

60

Ce jour-là, c'était la tête d'un vieux monsieur qui était dans la vitrine. Une tête énorme... plus grande que moi debout. Et les yeux... incroyables, ses yeux. Un peu comme ceux de Gunther quand il accorde le piano. Des yeux qui vous regardent de bord en bord mais qui ont l'air de ne rien voir.

— Regarde, Blaudelle. Regarde les yeux. Comme ceux de Gunther.

Je me suis collé le nez à la vitrine, mais Blaudelle m'a tout de suite tiré par le bras.

— Ils ont tous les yeux comme ça, les musiciens. Mais on n'a pas le temps maintenant. On s'arrêtera en revenant.

— Et qui c'est ce monsieur?

— J'sais pas... sûrement un Américain. Viens maintenant. On va rater le plus beau de la lumière si on n'y va pas tout de suite.

— Pas jeune, hein, le bonhomme? Mais il a l'air de bien tenir le coup. Tu vois comme il se trompe, Gunther. C'est pas vrai qu'on arrête de jouer de la musique quand on est vieux.

— Je te promets qu'on s'arrêtera en revenant.

Ce jour-là, Blaudelle s'est installé près d'une rangée d'arbres au fond des Plaines d'Abraham. Il a étalé ses pinceaux, sorti quelques couleurs et s'est mis à fricoter sur sa palette. J'étais devant lui sur un petit banc et j'avais toutes les peines du monde à ne pas rire. C'est toujours un peu drôle de le voir faire.

Son plan était simple. Dans un coin du tableau, il ferait mon portrait et derrière, par dessus mon épaule, celui de tous ces grands personnages qui ont joué de l'histoire sur les Plaines. Un petit coup de Wolfe, un petit coup de Montcalm, un ou deux chefs indiens...

Comme d'habitude, il se met à faire de grands gestes et à prendre des mesures dans tous les sens.

— Est-ce que ça te dérangerait si j'allait jouer un peu avant que ça commence?

— Comment ça, jouer? Tu m'as promis que tu poserais tout à l'heure.

— Tu peux commencer le tableau quand même. Dessine le champ et tout ce qu'il y a autour. Quand ce sera prêt, je reviendrai, juré promis.

Je ne lui ai pas laissé le temps de discuter; j'avais rendez-vous.

Il était furieux, Blaudelle. Pour passer sa rage, il a fait le tour du chevalet, et s'est envoyé le pied dans le petit banc. Ça lui a fait du bien, je crois. Mais ça n'a rien changé.

Un peu plus loin, je me suis arrêté derrière un arbre et je l'ai regardé un long moment. Il est revenu vers son tableau et s'est fait un mélange de gris bleuté. Presque tout de suite, il s'en est pris à l'horizon, couché par terre, au bout du champ. Un bel horizon tout droit qui courait le long des arbres jusqu'à une grosse bâtisse grise.

Il a d'abord tiré un grand trait bleu, du coin droit de la toile jusqu'à une grosse bâtisse grise. Rendu là, il a posé le pinceau pour faire un croquis de l'édifice au fusain. Une fois les grandes lignes tirées, il a regardé le ciel et s'est aperçu que plus rien n'était pareil. Tout était plus sombre maintenant.

Très sûr de lui, il est retourné à sa palette, a remis un peu de noir et s'est refait l'horizon. Par prudence, il n'est pas allé plus loin que la grosse bâtisse grise. Des nuages noirs roulaient au dessus de sa tête et lui rendaient la vie impossible.

Il faut dire que c'est un professionnel, mon père. Il n'abandonne jamais quand les couleurs changent. Et crac! encore un coup de noir sur sa palette et re-crac! un troisième horizon... et un quatrième. C'est seulement au cinquième horizon qu'il s'est énervé. Le ciel était tout noir et dégueulasse; un gros ciel menaçant, sur le point de s'ouvrir et de jeter sa rage sur les Plaines. Le pinceau tout dégoulinant, Blaudelle a refait son trait horizontal une dernière fois et, en passant par la bâtisse grise, il ne s'est même pas arrêté. Du coup, le croquis a disparu. Le pinceau a sauté par dessus les deux pointes du vieux pont de Québec et s'est retrouvé loin dans le décor, dc l'autre côté du fleuve.

Quand il est en forme comme ça, Blaudelle, il devient tellement ambitieux qu'il peint à côté de ses tableaux. T'aurais dû voir l'effet. Il y avait un trait noir d'au moins trente centimètres, accroché dans l'air du temps. Il a trouvé un bout de guenille et s'est empressé de tout essuyer.

*   *   *

Du fond du champ jusqu'au dessus de la tête de Blaudelle, il y avait du noir partout, maintenant. La lumière faisait plutôt enterrement et les Plaines avaient des airs de cimetière. Faut être hyper-réaliste dans le genre polaroid pour tirer quelque chose d'un paysage comme ça.

Une fois encore, Blaudelle est retourné à sa boîte. Il a pris un rouleau et l'a passé sur la palette. C'est un de ses trucs préférés, ça, le coup du rouleau. Quand plus rien ne va, il tire un grand trait sur sa toile et regarde les choses dégouliner.

Même de loin, j'ai vu que ça lui avait fait un grand frisson dans le dos. Il a fait un pas de côté pour mesurer l'effet. Il était content, je crois, très très content.

Au fond, je l'aime bien, Blaudelle. J'ai l'air de me plaindre comme ça, mais je ne le changerais contre rien au monde. J'ai le droit de dire ce que je pense avec lui. Un autre me ferait taire et jamais personne ne saurait ce que j'ai dans la tête. En fait, il est aussi brave avcc moi qu'avec sa peinture. Il laisse faire les choses même si quelquefois c'est menaçant.

Lauda s'était fait couper les cheveux. En s'approchant du banc où on se donne toujours rendez-vous, elle s'est passé la main sur la tête, comme si elle les trouvait un peu courts.

— Je trouve que ça te va très bien, moi. Et ça doit être pratique pour le casque d'écoute.

Elle est vraiment belle, Lauda. On ne se fatigue pas de la regarder. Et ce qui est plus génial encore, c'est sa taille. Même si elle est vieille, elle n'a jamais vraiment grandi. Je trouve ça génial. C'est pas tout le monde qui peut regarder sa mère droit dans les yeux. Elle a une autre qualité, Lauda. C'est elle qui fait la programmation au Grand Théâtre. Tu comprends que la musique, ce n'est plus un secret pour elle.

Je me suis jeté dans ses bras pour l'embrasser mais son gros ventre a complètement amorti le choc.

— T'es pas enceinte, toujours?

Elle s'est mise à rire et m'a sorti un gros sac de papier brun de sous son manteau.

— Je t'ai acheté des *moon boots* pour l'hiver. Ça ne va plus tarder maintenant.

Elle aime bien jouer, Lauda. Ça me change de Blaudelle, qui prend tout au sérieux. Je lui ai fait un petit sourire… tout en restant sur mes gardes. Les cadeaux de Lauda, je m'en méfie. Et j'avais bien raison. T'aurais dû voir les bottes. Je n'avais jamais rien vu d'aussi laid.

— T'es fâchée contre moi pour m'acheter des *trucs* pareils.

— Non, non, c'est très sérieux. C'est ça la mode. T'as dû en voir à ton école.

— Je suis pas un pilote d'avion, je suis un pianiste, et puis de toute façon, je veux pas ressembler aux enfants de mon école. Je les trouve cons. Ils ne connaissent rien et ils ont tous un père et une mère qui vivent ensemble.

Je crois que ça lui a donné un coup. Elle s'est mordu la lèvre sans rien laisser paraître mais j'ai bien vu.

— Mets-les aux pieds, au moins. Tu vas voir, c'est surprenant comme on est bien là dedans.

On se voit si peu souvent que je n'ai pas osé lui faire d'histoires. J'ai fermé les yeux et je suis monté dans mes *moon boots*. C'était quand même gentil d'y avoir pensé. Blaudelle aurait attendu qu'on en ait jusqu'aux genoux pour faire quelque chose. Je l'ai embrassée et on s'est assis sur le banc.

— J'ai pensé à quelque chose hier. Qu'est-ce que tu dirais si je retournais vivre un petit bout de temps avec Blaudelle et toi, au studio? Pour essayer…

J'ai mes idées là-dessus et quand on me demande mon opinion, je n'y vais pas par quatre chemins.

— Y a toujours un de vous deux qui est malheureux quand vous êtes ensemble. Vous n'allez pas recommencer ça, quand même !

— C'était juste une idée. Je voulais savoir ce que tu en pensais.

En général, je n'aime pas tellement en parler. Ça fait toujours de la bisbille. Blaudelle m'accuse de faire du chantage quand Lauda parle de revenir. Il dit que les enfants tout seuls sont gâtés et que si elle revient, je serai bien forcé de prendre mon trou. Mais il est malhonnête, Blaudelle, c'est bien connu.

Je n'y suis pour rien dans leurs histoires, moi. S'ils n'arrivent pas à s'entendre, ce n'est pas de ma faute.

— M'as-tu apporté une cassette ?

La question est venue juste à point. Ça commençait à se gâter dans ma tête.

— Bien sûr que je t'en ai apporté une.

J'ai sorti la cassette de ma poche, pendant qu'elle cherchait la sienne dans son sac à main.

— Tiens, sur la face A, il y a un petit message, mais de l'autre côté il y a un morceau de piano génial. Je l'ai enregistré hier soir.

Lauda m'a regardé dans les yeux et j'ai tout de suite eu envie de rire. Chaque fois c'est pareil. Quand je lui raconte un mensonge, elle s'en aperçoit. C'est l'intuition qui fait ça, je crois.

— Y a quelque chose qui va pas, Antoine? On dirait que...

La seule chose à faire dans ces cas-là, c'est de raconter un deuxième mensonge par dessus le premier. Des fois j'arrive à m'en sortir.

— Ouais, euh... Y a Gunther qui est venu accorder le piano.

— Mais c'est bien, ça. T'es sûr qu'il n'y a pas autre chose?

— C'est que... il dit que ma machine à cassettes n'apprendra jamais la musique pour moi.

— Il doit savoir de quoi il parle. Avant d'être accordeur, il était pianiste à New York. Un grand pianiste, paraît-il.

— Eh bien! justement, s'il est un grand pianiste, pourquoi il ne veut pas voir que c'est utile un appareil-cassettes. Il m'a dit des vacheries ce matin et je ne suis pas près de lui pardonner.

— Il n'est pas toujours délicat mais il est gentil, Gunther. Je suis certaine qu'il n'a pas voulu te blesser.

Je savais que j'étais injuste pour le vieux et j'étais pas fier de moi. La vérité, c'est que je venais de refiler à Laura l'enregistrement du *You don't kill a piano player* en disant que c'était moi qui l'avais fait.

Elle s'est assise au bout du banc et n'a rien dit pendant un long moment... comme si elle cherchait à comprendre pourquoi Gunther m'avait dit des choses pareilles. Elle était plutôt triste; sûrement à cause de toutes ces histoires que je lui faisais. L'idée de venir vivre au studio et tout...

Je regardais mes *moon boots* et je me sentais ridicule.

— Tu sais pas ce qu'il s'est mis dans la tête, Blaudelle? Il a décidé de faire mon portrait.

Elle est sortie de la lune un petit moment et m'a fait un grand sourire:

— Ce sera sûrement un beau tableau. Quand il s'y met, tu sais...

Je n'ai pas osé lui dire que ça m'embêtait de poser. J'avais déjà fait ma part de commentaires tristes.

— Il dit qu'on va te le donner, le tableau, quand il sera fini.

Lauda s'est tournée et m'a demandé si c'était vrai. Ses yeux étaient tout brillants:

— Alors tu vas t'asseoir devant ton père et tu vas poser pour lui, c'est compris?

J'étais content de mon coup. Des fois comme ça, elle tombe dans ses rêves, Lauda. Elle a l'air tellement triste et tellement bien en même temps qu'on dirait qu'elle n'en reviendra plus. Ça me fait peur.

Pour rire, je me suis levé et j'ai pris une poignée de feuilles mortes par terre. Mais quand on n'a pas l'habitude avec les *moon boots*, c'est terrible; je suis tombé au bout de trois pas. J'allais me relever quand elle m'est arrivée dessus. On a roulé dans les feuilles. Elle m'a chatouillé et on a tellement ri que j'en avais mal au ventre.

Pendant une demi-heure, on s'est essoufflés comme ça dans les feuilles avant de retourner à notre banc.

70

— Tu sais que Blaudelle travaille beaucoup de ce temps-là.

— Ah oui?

— C'est tout ce qu'il fait... ça et lire dans son Livre Noir.

— C'est quoi le Livre Noir?

— Je te l'ai expliqué sur ma cassette. On ne va pas commencer à se raconter ce qu'il y a dans nos messages, quand même.

Je l'ai fait exprès. C'était seulement pour piquer sa curiosité.

Les rencontres avec Lauda ne durent jamais longtemps. Elle finit toujours par me dire qu'elle a du travail et elle repart en courant.

Je suis revenu vers Blaudelle et je l'ai trouvé en extase devant sa toile. Le rouleau dégoulinant de peinture noire dans une main, il admirait son tableau comme il m'arrive de regarder Lauda. Le ciel était menaçant mais cela n'avait pas l'air de l'inquiéter. Le plus gros du travail était fait et je crois qu'il m'attendait.

Tout à coup, l'hiver est tombé.

Un gros hiver bête qui vous arrive dessus sans s'excuser. La porte du ciel s'est d'abord ouverte un tout petit peu, puis les nuages se sont décrochés. D'une seule bordée, tout le ciel est tombé sur les Plaines d'Abraham.

C'est terrible comme effet. Il y a ce vacarme effrayant, et puis d'un seul coup, tout devient blanc et aveuglant. Le temps de me faire à la lumière... je regarde partout... mais plus de Blaudelle. Il ne restait que le gros trait noir de son tableau, tout seul dans la neige.

72

J'ai ravalé un grand coup et je me suis dit que tout était peut-être fini. Mais voilà, c'est un bagarreur, mon père. Il s'est relevé d'entre les morts, a pointé son rouleau vers le ciel en jurant et s'est mis à chercher sa boîte de matériel dans la neige.

Il lui restait un peu de blanc; à peine de quoi faire une petite tempête de rien du tout. Ça ne l'a pas découragé. Il a versé tout ce qu'il avait sur le rouleau, et d'un geste génial, il a refait sa ligne d'horizon. Comme c'était pas assez, il s'est même penché dans l'hiver pour en prendre un morceau et le jeter sur la toile.

La neige fondante a tout de suite donné une autre allure au tableau. Il y avait un peu de noir, ici et là, mais rien de bien grave. À bout de souffle, Blaudelle a retourné la toile pour griffonner: «Tempête du 25 novembre sur les Plaines d'Abraham». Lorsqu'il l'a remise à l'endroit, le chevalet avait laissé des marques dans la peinture fraîche. Indomptable, il a repassé le rouleau dans le «25 novembre» et s'est éloigné un peu.

Les dégoulinages étaient très beaux. Le mélange de peinture et de neige rendait bien toute la violence de l'hiver. Beaucoup, beaucoup mieux que le piano sans pianiste!

Satisfait, Blaudelle a replié le chevalet et ramassé son matériel. J'ai tout de suite compris que je ne serais pas dans ce tableau-là non plus et je me suis approché.

La nuit tombe vite le 25 novembre. Comme l'hiver d'ailleurs. Blaudelle calait dans la neige jusqu'aux genoux mais il était quand même de bonne humeur.

— Ça a marché comme tu voulais?

— Pas mal. Avec la neige, ça donne toujours une belle chimie.

— J'étais derrière l'arbre. J'ai tout vu... elles sont très belles, les coulées de peinture.

Il m'a regardé du coin de l'œil. Ça lui fait toujours un petit velours quand je m'intéresse à sa peinture. Je lui ai tendu la main et on a marché ensemble.

— T'as vu les lumières?

— Quelles lumières?

— Les lumières de la ville. Elles se sont éteintes quand l'hiver est tombé. Je crois que c'est une panne d'électricité.

Blaudelle a levé les yeux et s'est mis à rire.

— Tant mieux pour eux. C'est tout ce qu'ils méritent, bande de crétins.

C'est bien son genre de dire des folies pareilles. Il a continué de rire. Ça faisait au moins deux jours qu'on s'était pas sentis aussi bien ensemble.

— Pourquoi tu veux jamais me dire ce qu'il y a dans ton Livre Noir.

Il n'a pas répondu. Je voulais profiter de sa bonne humeur et je suis devenu très curieux.

— Tu passes ton temps à relire les mêmes lettres. je trouve ça étrange.

Il s'est arrêté dans la neige, m'a jeté un coup d'œil sournois et il a dit que si je voulais connaître l'histoire du Livre Noir, faudrait que je la lise moi-même.

Je sais bien qu'il ne me croit pas quand je lui dis que je ne sais pas lire, mais j'ai préféré changer de sujet. C'était pas la peine d'insister. On s'est remis à marcher en silence.

Au bord des Plaines, tout près de la rue Strauss, Blaudelle s'est arrêté pour secouer la neige collée à son pantalon. C'est là qu'il a vu mes *moon boots*.

— T'avais ça dans les pieds quand on est venus ici, toi?

— Bien sûr!

C'est tellement facile de lui raconter des histoires. Beaucoup plus simple qu'avec Lauda. Je lui dis ce qui me passe par la tête sans jamais avoir envie de rire. Il n'a pas d'intuition féminine, Blaudelle. Pas du tout.

Un peu plus loin, on s'est arrêté pour faire le point. Il faisait très noir et Blaudelle ne savait plus par où passer.

— Regarde là-bas, au coin de la rue Gershwin. On dirait une émeute.

C'était vraiment impressionnant. Une foule incroyable était rassemblée devant le Grand Théâtre. Sur une petite plate-forme, un homme donnait des ordres. Ils étaient au moins un million à l'écouter... enfin, je n'ai pas les chiffres exacts, mais quelque chose comme ça.

De l'autre côté de la rue, quelqu'un nous a dit que le Grand Théâtre avait été transformé en centre d'accueil. Comme la panne risquait d'être longue, on y servait de la soupe, du café et des biscuits.

Blaudelle, qui n'aime pas tellement l'ambiance de troupeau, s'est tout de suite défilé. J'ai compris que si je voulais être de la fête, fallait faire vite.

— Je prendrais bien une soupe, moi. Tu crois pas que c'est ce qu'il y a de mieux à faire contre l'hiver?

Avant même qu'il ait le temps de réagir, j'étais loin. Avec cinquante mètres d'avance, il n'avait aucune chance de me rejoindre avant le Grand Théâtre.

En fait, c'est seulement devant les portes tournantes qu'il m'a rattrapé. Le crieur faisait son numéro dans la rue et racontait que le Grand Hall avait un groupe électrogène indépendant. Tout le monde voulait entrer en même temps et c'était pas beau à voir.

Blaudelle, qui est très gêné parmi le monde, se laissait marcher sur les pieds sans se défendre. Il me criait des choses mais je faisais semblant de ne pas entendre.

— Tu n'y penses pas, Antoine! Il va y avoir tellement de bruit là-dedans qu'on ne s'entendra plus penser.

— Ça va te faire du bien.

Il avait l'air terrorisé, le pauvre, et regardait les portes tournantes venir comme si c'était l'enfer. Accroché à son tableau, il marchait sur le bout des pieds et me cherchait des yeux.

C'est à ce moment-là que le visage du vieux musicien m'est arrivé en pleine face. Les gens me poussaient dans le dos. J'étais tellement près de l'affiche que je n'en voyais plus qu'un œil. Il me regardait de bord en bord, un peu comme Lauda quand je lui raconte des bêtises. J'ai eu peur tout à coup. Tout ce monde qui poussait... c'était pas drôle du tout. Un gros frisson m'a couru dans le dos et j'ai voulu revenir sur mes pas. Mais tu parles! Tout le monde poussait et personne n'allait dans le même sens que moi. Je me suis retourné vers l'affiche... le vieux monsieur m'a souri. Ça m'a calmé un peu. Je me suis dit que Blaudelle ne pouvait pas être bien loin derrière et qu'on se retrouverait sûrement à l'intérieur.

Les portes sont arrivées, j'ai fermé les yeux et elles m'ont avalé.

LE FANTÔME DE L'OPÉRA

Quand je suis arrivée sur la scène du Grand Théâtre ce jour-là, il n'y avait que Gunther Haussmann sur le plateau. Plié en quatre sous le couvercle du grand piano, il tapait sur un si bémol. Une bougie posée sur un mouchoir éclairait les tripes de l'instrument et, plus loin, une petite lampe à pile jetait un filet de lumière jaune sur la scène.

— Je crois qu'il n'y aura pas de spectacle, ce soir. On en a au moins pour trois heures comme ça dans le noir.

La grosse tête de Gunther a cogné un bon coup sous le couvercle. Tout le piano s'est mis à résonner.

— C'est toi, Lauda?

Le fou rire m'a prise. Gunther m'a regardée du coin de l'œil, s'est penché sous l'instrument et a mis le pied sur la pédale de gauche. Le piano s'est arrêté.

— Je voulais vous parler. J'ai vu Antoine sur les Plaines tout à l'heure.

Haussmann est retourné à son travail sans répondre. Le connaissant bien, je me suis approchée prudemment. Ses deux mains sont aussitôt tombées sur le clavier et une poignée de notes est montée au ciel. Il a fait la grimace, s'est appuyé sur le piano et m'a dit:

— C'est pas parce qu'il y a une panne d'électricité que les pianos ont le droit de fausser.

Pas toujours facile de discuter avec Haussmann. Une phrase ne suit jamais l'autre et le piano se mêle constamment de la conversation.

— Antoine ne comprend pas très bien ce que vous avez contre son appareil-cassettes.

— Rien du tout. Mais je ne suis pas certain que c'est comme ça qu'on apprend la musique.

J'ai regardé la passerelle, loin au-dessus, et j'ai eu envie de disparaître dans le labyrinthe de l'escalier en colimaçon, jusque là-haut.

Haussmann s'est remis à fouiller dans le piano. Il se battait contre le do dièse tout en jetant un coup d'œil de mon côté.

— Est-ce qu'il est arrivé?

J'ai cru qu'il parlait d'Antoine et je lui ai dit que je ne l'attendais pas aujourd'hui.

— Non, Papa John.

— Papa John, le violoniste. Ah... Non, non, je ne l'ai pas vu.

Il s'est arrêté une nouvelle fois, m'a regardée dans les yeux et s'est penché vers sa caisse.

— Tenez, prenez une bougie. Il fait noir là-haut. Ce sera plus prudent.

J'ai pris la bougie et j'allais m'éloigner lorsqu'il s'est mis à me parler de l'époque où il jouait avec Papa

John. Une histoire que je connaissais déjà. Jeune musicien, il avait fui l'Allemagne nazie pour se retrouver à New York pendant la guerre. C'est là qu'il avait rencontré un jazzman de génie et était devenu son pianiste. Comme toujours, lorsqu'il m'en parle, j'ai fini par lui dire:

— Vous auriez dû continuer...

Ça n'a fait qu'attiser son envie de tout me raconter à nouveau. J'ai regardé une fois encore du côté de la passerelle qui tanguait au-dessus de la scène.

— Ils tombent partout, les musiciens. Ou bien parce qu'ils ont trop bu ou bien parce qu'ils ont trop vécu. Le lendemain, on lit dans les journaux qu'ils sont morts de sommeil...

Je me suis assise sur la première marche de l'escalier. Haussmann n'accordait plus rien. Il avait les yeux vagues et pensait tout haut.

— ... et puis y a ceux qui voient un signe de dollar au lieu d'une clef de sol au début des portées. C'est eux qui gèrent la crise. Pendant que vous jouez le dernier petit bout de votre âme, très tard la nuit, ils s'enfuient avec la caisse et le lendemain, tout est à recommencer... Il a raison, ton fils. Je crois que j'ai un problème avec mon pipi.

— Je suis désolée. Vraiment, je...

Comme le rideau qu'on tire lorsque le spectacle est terminé, les yeux de Hausmann ont basculé dans le vide. Il a grogné contre une fausse note et je me suis levée. À la troisième marche de l'escalier, je l'ai entendu entamer un air que je connais par cœur. C'est

83

pour ainsi dire notre morceau à nous. Et ça porte un titre romantique à souhait: «Le manoir de mes rêves». Je sais que c'est pour moi seule que Haussmann le joue, comme je crois être la seule à qui il raconte son histoire. Mais il ne faut surtout pas que je reste à côté de lui trop longtemps.

Du haut de la passerelle, la musique m'arrive comme une odeur ou une fumée qui ne sait plus d'où elle est partie. C'est d'une beauté étrange et c'est dans ces moments, à l'ombre du rideau de velours noir, que je trouve mes meilleures idées pour la programmation du Grand Théâtre.

Étrangement, ce décor n'est pas sans me rappeler le studio de Blaudelle. Mais ici, au moins, je peux vivre. Je suis au-dessus de la grande scène et quand les lumières s'allument à l'heure du spectacle, j'y suis pour quelque chose... Je suis un peu la ventriloque qui tire les ficelles...

J'en ai mis du temps à découvrir Blaudelle! Je me suis longtemps heurtée à un mur de granit, comme il dit, jusqu'au jour où je suis passée au travers. En fait, ce n'était qu'un miroir; il n'y avait rien de l'autre côté. Je n'ai trouvé derrière son pinceau qu'un petit homme timide et fragile, cherchant désespérément sa mère. Pauvre Blaudelle! Il préfère changer de nom plutôt que de laisser percer ses petits secrets...

Puis, ç'a été la guerre du silence. Un beau jour, comme ça, il a cessé de parler et n'a plus existé que pour la peinture. Ses tableaux se seraient accumulés au point de le faire disparaître si quelqu'un quelque part n'avait crié au génie. La galerie tout entière s'est levée pour applaudir. Et du jour au lendemain, il est devenu un vrai peintre. Un peintre intéressant, même... Mais un être invivable.

J'aurais dû le quitter à ce moment-là. Mais à force de se compliquer la vie, on finit par ne plus savoir où est la sortie. Ils étaient deux maintenant à réclamer une mère. Deux à me chercher le sein sous la chemise. Un qui ne parlait plus et l'autre qui ne parlait pas encore. Ma vie était devenue un silence intolérable. J'en étais venue à confondre le père et le fils.

Puis un jour, je suis partie. Je les ai quittés tous deux comme on quitte une seule et même chose. Une année s'est écoulée depuis et Antoine est persuadé que ça fait toute une vie.

*   *   *

Pendant que je me laissais bercer par la musique de Haussmann, ma bougie s'est éteinte. En deux petites manœuvres, j'ai mis mon appareil-cassettes en marche:

«Il faut que je te dise tout de suite, Antoine: le morceau que tu m'as envoyé ne s'appelle pas «*La danse des sabots de bois*» mais bien «*You don't kill a piano player*». C'est un classique du jazz des années quarante. Très bien joué d'ailleurs. Tu fais des progrès étonnants, mais dis-toi bien que raconter des mensonges c'est une chose et croire que les autres ne s'apercevront de rien

85

en est une autre... Quand je suis revenue des Plaines et que j'ai entendu ça, je me suis dit que tu étais un beau sacripant.»

«On est en pleine panne d'électricité ici. Tout s'est arrêté dans le Grand Théâtre et je suis venue me réfugier sur la passerelle. Gunther joue du piano en bas et c'est très beau... Je lui ai parlé tout à l'heure, au sujet de votre discussion. Je crois que tu lui as fait plus de peine qu'il ne t'en a fait. Vois-tu, il s'est fait mal à jouer de la musique à New York, le pauvre homme. Ça fait très longtemps de ça, mais je crois que la plaie est encore vive. Ça lui passera peut-être un jour mais en attendant, il faut l'endurer comme il est. C'est d'ailleurs pour ça qu'il s'acharne à accorder tout ce qui ressemble à un piano. Pour oublier... Je sais tout sur Gunther. Je lui pose des tas de questions et, mine de rien, il finit toujours par me répondre. On est de grands amis, lui et moi, et tu peux me croire, il n'est pas méchant du tout.»

«Pour ce qui est de la lecture, tu me déçois beaucoup. Un jour ou l'autre, tu seras bien obligé d'apprendre à lire. Vaudrait mieux t'y mettre tout de suite et cesser de croire que l'appareil-cassettes va le faire à ta place.»

«...Ton histoire de Livre Noir m'intrigue beaucoup. T'es sûr que c'est pas la bible? Blaudelle a peut-être décidé de s'embrigader dans une religion... ne lui dit surtout pas ça, il va croire que je me moque de lui encore. De toute façon, si jamais ça tournait mal, laisse-moi savoir. On fera quelque chose. De mon côté, ça va pas trop mal. Je pense souvent à revenir au studio, mais il me reste encore des petits trucs à régler avec moi-même.»

«Avant de te quitter, je veux te dire que je préfère les cassettes où tu joues toi-même du piano. C'est certain que Gunther est un bon pianiste. Mais s'habiller du manteau d'un autre, surtout quand il est trop grand, c'est un peu ridicule. Je t'embrasse fort, fort, fort, et la prochaine fois, quand il y aura de l'électricité, je t'enverrai de la musique enregistrée.»

Ta Lauda qui t'aime

La musique de Gunther se perdait dans les dédales de l'arrière-scène. Entre le grillage et toute la quincaillerie qui nous séparait, des poignées de notes s'égaraient dans les fils ou se figeaient dans les toiles d'araignée. Le temps s'était arrêté.

La bougie de Gunther était sur le point de mourir et le «Manoir de mes rêves» en était à ses derniers soubresauts. C'est alors que Papa John est apparu. Il a ramassé le morceau là où l'accordeur l'avait mené et ils ont fait un bout de chemin ensemble. C'était leur façon de se dire bonjour...

Le corps bien droit, le vieux musicien étirait chacune des notes pour les faire durer. Le «Manoir» trouvait un second souffle et le grand rideau de velours frissonnait sur toute sa hauteur. Je m'étais avancée un peu sur la passerelle. C'était bien lui. Le seul et l'unique Papa John au crâne chauve et aux doigts magiques.

Gunther jouait tête baissée et n'osait plus relever les yeux. Papa John jonglait avec le morceau en jetant des arabesques farfelues, un peu partout dans la mélodie. Très sûr de lui, il retombait sur ses pattes et continuait sa marche comme si de rien n'était. Il était là, debout et immobile tout près du piano. Dans une économie de gestes étonnante, il faisait autant de musique qu'un grand orchestre. Seule sa chemise bougeait. Comme si quelque chose dans son ventre cherchait à s'envoler, mais se cognait inlassablement à cette vieille peau.

Il avait de petits spasmes, par moments. De tout petits spasmes de rien du tout et une drôle de plainte sortait de sa bouche, à peu près en harmonie avec la musique. C'était fascinant. Fascinant et tragique. Comme si la beauté ne pouvait venir au monde sans faire mal.

«Le Manoir de mes rêves» se cognait à toute la pacotille accrochée au ciel de la scène et finissait par s'éteindre dans le velours du grand rideau. Gunther et Papa John tremblaient de plaisir et ne bougeaient plus que par petits mouvements saccadés. La moindre note trouvait sa place, comme dans un numéro cent fois répété.

Au plus fort du morceau, là où le piano et le violon se confondent, Papa John a fait un virage abrupt et s'est lancé dans la résolution finale. Gunther l'a suivi sans protester et le «Manoir» s'est posé comme un grand oiseau fatigué. La dernière note est montée doucement jusqu'à la passerelle.

En bas, Gunther embrassait Papa John et le vieil homme proposait déjà un autre morceau.

C'est là que la bougie s'est éteinte pour de bon et que l'arrière-scène tout entière est tombée dans le noir. Haussmann s'est tout de suite penché vers le coffre pour prendre une autre bougie, puis il s'est aperçu qu'il m'avait donné la dernière. Je ne l'avais encore jamais vu aussi agité. Il rampait sous le piano tellement il ne voulait pas déplaire à Papa John.

Le vieux musicien lui a dit que ça ne faisait rien, mais l'autre est disparu, sans doute pour aller chercher une autre bougie. Il n'avait visiblement pas envie que leur rencontre s'arrête là.

La petite lampe de secours se battait du mieux qu'elle pouvait contre le noir. Un peu rêveur, Papa John a flatté le piano, en a fait le tour et s'est assis sur le petit banc. Il a penché la tête, le geste fatigué, et a laissé courir sa main sur le haut de la gamme. Les premières notes sont tombées à plat. Il s'est redressé puis a jeté un coup d'œil vers la passerelle.

J'ai cru qu'il me regardait et qu'il se demandait ce que je faisais là-haut. Ses mains ont bougé de nouveau sur le clavier et la belle mélodie de *I'm coming home Virginia* s'est glissée entre nous deux. Dès les premières notes, il est allé se cacher très loin à l'intérieur de lui-même, ses doigts ont fait des détours compliqués sur le clavier et la musique est apparue de partout.

Après quelques mesures seulement, Papa John était déjà tout contorsionné. Ce n'était pas tout à fait beau à voir, mais la musique… Quelle musique! On aurait dit qu'il y avait quelqu'un d'autre; un deuxième musicien caché dans ce même vieillard.

Comme il m'arrive toujours, quand je me laisse toucher par une mélodie, j'ai vu les yeux d'Antoine dans le grand rideau de velours. J'aurais tant voulu qu'il soit là, sur la passerelle avec moi et qu'il entende ce que j'entendais.

* * *

Soudain, un petit homme tout frêle est arrivé sur la scène. Il a interrompu Papa John et lui a demandé quelque chose. Le vieil homme a hésité un peu, mais il a continué de jouer. Il était question du contrat: on annulait le spectacle à cause de la panne d'électricité. Le ton était sec. Le petit homme insistait, mais Papa John refusait de s'arrêter. Puis il a ouvert sa valise, a sorti un papier et a demandé à Papa John de signer. Quand le vieux musicien s'est penché pour mettre sa griffe, l'autre lui a donné une tape dans le dos. Vu de derrière, il aurait eu un couteau dans la main que ça ne m'aurait pas surprise.

Du haut de ma passerelle, la scène avait quelque chose d'inquiétant. L'homme portait un chapeau de feutre et je n'arrivais pas à distinguer ses traits. Mais lorsqu'il a refermé sa valise et s'est retourné sur la pointe des pieds, je me suis rendu compte qu'il n'était que le gérant et le fidèle garde du corps du vieux musicien.

Haussmann est revenu sur scène, une bougie toute neuve à la main. Papa John cherchait son violon d'un geste aveugle et les dernières notes de *Virginia* remuaient encore le grand rideau de velours. Haussmann a demandé qui était ce type au chapeau de feutre. Le vieil homme lui a tourné le dos pour ranger son violon. Ses gestes étaient délicats... très lents même. Avant de refermer l'étui, il a passé son mouchoir sur les cordes, l'a replié méticuleusement et s'est tourné vers Haussmann. Son petit corps faisait contraste avec la carrure sans charme de l'accordeur. Les traits lisses et noirs de sa peau donnaient l'impression qu'il avait passé sa vie dans du papier d'emballage.

Déçu, Haussmann a longuement regardé l'étui. Il aurait bien joué un morceau ou deux avec son vieil ami. Mais Papa John en avait décidé autrement. Ils ont discuté un peu, autour du piano, de la panne d'électricité et du Grand Hall. Le vieil homme a eu l'air surpris d'apprendre qu'on puisse éclairer l'entrée du Grand Théâtre en laissant l'arrière-scène dans le noir. Quand ils ont parlé de la foule qu'il devait y avoir à cette heure-là, le visage de Papa John s'est illuminé. Haussmann est devenu maussade et sombre.

Le violoniste s'est agité autour du piano et, très solennellement, il a déclaré que c'était un cas de concert improvisé. Haussmann était assis sur le petit banc et faisait semblant de ne plus être là. Mais plus rien ne pouvait arrêter Papa John. À bout d'arguments, Haussmann a fini par dire qu'ils étaient trop vieux, tous les deux, pour se lancer dans une aventure pareille.

J'étais au bout de la passerelle, près des escaliers.
Avant de descendre, j'ai jeté un dernier coup œil sur
la scène. Gunther hochait la tête. Il venait d'accepter.

LES PORTES TOURNANTES

Je me retrouve donc tout seul avec mes *moon boots* et mon appareil-cassettes dans le Grand Théâtre. J'ai beau chercher partout, pas de Blaudelle à l'horizon. La moitié de la ville est là, devant les portes tournantes. Tout le monde cherche quelqu'un et ceux qui entrent dans le Grand Hall ne sont jamais les bons.

C'est toujours comme ça, le jour de la première neige. Le Grand Théâtre devient un cirque; un corps de majorettes se rassemble devant les portes tournantes. Poussé dans le dos par une fanfare-klaxon, les jeunes filles se lancent en avant, jambes en l'air. Tu devrais voir la parade. Le jeu du bâton qu'elles manipulent pour attirer l'attention se perd complètement dans les portes. Une après l'autre, elles débouchent dans le Grand Hall et se ralignent du mieux qu'elles peuvent. On les applaudit poliment.

...toujours pas de Blaudelle en vue.

Après les majorettes, c'est la fanfare-klaxon qui fait son entrée. Le clarinettiste en chef passe les portes le premier, sans se tromper d'une seule note (c'est un professionnel). Derrière lui, y a un tromboniste à la gorge profonde. Il entre en ravalant sa coulisse. Nouveaux applaudissements dans le Grand Hall.

...mais où est-ce qu'il a bien pu passer?

Les majorettes s'engagent dans le défilé. La fanfare les suit et je comprends tout à coup pourquoi il ne veut jamais venir au Grand Théâtre, Blaudelle. C'est vraiment bruyant, tu sais. Il y a du monde partout, le café et la soupe coulent par terre sur le plancher de marbre et tout le monde s'énerve. Tout ce qu'on voit, c'est des gens qui en cherchent d'autres.

La fanfare est loin maintenant. Je reste un long moment dans l'entrée. Il y passe tellement de visages que je ne cherche même plus la tête de Blaudelle. Je regarde seulement pour le tableau. Pauvre tableau dans les portes tournantes.

Des enfants se sont lancés dans de grands travaux d'irrigation près de la sortie. Le jus de neige fondue, la soupe aux nouilles et le café coulent fort dans ce coin-là. Ils m'invitent à jouer avec eux mais je les envoie promener. Je ne veux pas avoir à leur dire que je cherche mon père.

C'est toujours comme ça quand on fait la paix, Blaudelle et moi... Une heure plus tard, on se perd. Je tourne en rond devant les portes tournantes. Tout à coup, une idée géniale me passe par la tête. (Les petits cons insistent, mais cette fois je me fâche.) Tout près de l'entrée, il y a un grand pot de fleurs avec un arbre dedans... Je m'installe au pied de l'arbre et je sors mon appareil-cassettes.

«Ma chère Lauda, je suis perdu dans le Grand Hall. Tu dois sûrement entendre les bruits derrière? (Je tourne le micro vers la foule.) Ça ne m'énerve pas trop parce que tout le monde a l'air aussi perdu que moi… mais ça m'énerve quand même. J'aimerais bien retrouver Blaudelle. On est très amis dernièrement, depuis les Plaines…»

«Il s'est passé plein de choses aujourd'hui. Par exemple, j'ai décidé de devenir accordeur de piano. Et cette fois, c'est pour de bon. Je ne changerai plus. C'est Gunther qui m'a convaincu. Je crois que je n'aurais pas le cœur à faire une carrière de pianiste. C'est pour ça d'ailleurs que je t'ai envoyé un autre morceau que «La danse des sabots dc bois» sur ma cassette. Je me faisais encore des illusions.»

«Je n'ai pas totalement abandonné l'idée de rester pianiste, quand même. Disons que je réfléchis.»

«Je l'ai regardé faire ce matin, Gunther. Ça n'a pas l'air tellement difficile. Il suffit d'avoir un bon diapason. Le problème, ça va être Blaudelle. Tant que je reste musicien, je suis un artiste comme lui. Mais si je deviens seulement un accordeur de pianos, peut-être qu'il n'aimera pas ça. À côté de lui, on n'est jamais assez génial. Ça m'inquiète un peu…›

«Si j'étais plus vieux, je le laisserais là comme t'as fait que je deviendrais lesbien. En tout cas, je voulais que tu sois la première à l'apprendre. Mon idée est faite. Je deviens un accordeur.»

«Lauda, chère, je t'embrasse partout, partout, et je t'aime fort. Viens me retrouver dans le Grand Hall parce que je suis tout seul.»

Antoine

Je referme l'appareil-cassettes et je regarde autour. Toujours pas de Blaudelle. Je savais bien que ça ne changerait rien, le message pour Lauda. Mais des fois, on sait jamais.

Je prends mon courage à deux mains et je décide d'aller voir dans le Grand Hall. La fanfare est rendue à l'autre bout et ne fait presque plus de bruit. Je regarde les gens et ils me donnent le fou rire. Tout le monde tient son verre de café le petit doigt en l'air comme dans les vernissages. J'écoute les conversations à gauche et à droite. On parle tous de la même chose, c'est-à-dire de rien. Ça fait très chic, être au lancement de la première neige dans le Grand Théâtre. Un grand événement. Mais j'ai l'habitude de ces petites cérémonies.

Près des toilettes, les vrais habitués de la panne des premières neiges ont installé leurs kiosques à bonbons et à bijoux. Je viens faire un tour, et je vois une admiratrice de Blaudelle. Je lui demande si elle a vu mon père et elle me répond qu'elle cherche quelqu'un d'autre.

Tout à coup, j'arrive face à face avec Armande. Elle et Madame Adrien tiennent un kiosque près des téléphones. Chaque année, elles sont là avec leur petit écriteau: «Pourquoi rester seul? Consultez Madame Adrien Langlois!

Armande est habillée en rose et monte la garde devant la table. C'est le plus grand jour de l'année pour elle. D'un seul coup elle fait tous ses contacts pour la saison. Elle a sa bouteille de scotch, cachée sous la table, et prend un coup chaque fois qu'elle règle une affaire. «...Croisières fantastiques avec escale à peu près dans toutes les rues du quartier. Visitez les pays chauds en plein hiver sans sortir de chez vous. Pourquoi rester seul quand il existe un service téléphonique.»

Au fond, je l'aime bien, Armande. Elle ne s'en fait pas avec la vie et elle est toujours de bonne humeur. Je me suis dit que si je voulais retrouver Blaudelle, c'est par elle que je devais passer.

Je m'approche du kiosque. Elle me reconnaît aussitôt et m'accueille avec son grand rire. Je me retrouve dans ses bras (moelleux) avant que j'aie pu lui dire bonjour.

— Alors, qu'est-ce qu'il fait ton père?

J'ai même pas besoin de répondre; elle devine tout de suite.

— T'as perdu ton père, toi, et tu le cherches partout, c'est ça? Écoute, fais-moi confiance, je vais le trouver, moi.

Elle avale son verre de scotch, me dit de rester là et se lance dans le Grand Hall comme si c'était une plage de Floride. De l'autre côté du kiosque, Madame Adrien discute au téléphone; elle a l'air tout excitée.

101

Et tout à coup, ça devient très drôle. Les gens s'arrêtent devant la table et demandent s'il y a quelque chose à vendre. Moi, je fais de mon mieux. Je leur dit que le service téléphonique de Madame Adrien est le meilleur en ville... que mon père s'en sert souvent et que ça le réconforte beaucoup.

Je suis resté dix bonnes minutes devant le kiosque, à entretenir la clientèle. Mais Armande ne revenait pas.

Tout à coup, j'entends un piano, à l'autre bout du Grand Hall. Je me dis que si Blaudelle entend aussi la musique, il aura sûrement l'idée d'aller me chercher dans ce coin-là.

Madame Adrien est encore au téléphone. Je lui fais signe de s'occuper du kiosque et je pars.

Il m'a fallu au moins dix minutes pour me rendre jusqu'au piano. À l'oreille comme ça, c'est pas facile. Pousse à gauche, pousse à droite. Et bien sûr, personne ne veut bouger. Puis, tout à coup, le piano apparaît, juste là, devant moi. Un beau grand piano à queue, luisant comme un camion. Je fais un pas de côté pour voir qui joue, et je reconnais Monsieur Narcisse, un accordéoniste que je rencontre parfois sur les Plaines d'Abraham.

C'est son jour de gloire. Il pianote des petites mélodies et tout le monde écoute, même s'il ne joue pas très bien. Je m'approche un peu. Il me reconnaît, finit tranquillement son morceau et se penche vers moi.

— Veux-tu prendre ma place? Je suis certain que tu joues mieux que moi.

Je fais le tour du piano sans répondre et je trouve Blaudelle, assis par terre tout près d'une grande fenêtre.

Le Livre Noir entre les jambes, il s'amuse à démêler des lettres. Armande, qui a le tour d'attirer l'attention est penchée sur «le 25 novembre» et pousse de grands cris d'admiration. Blaudelle est dans tous ses états.

LETTRES À MON FILS

29 avril 1944

On ne te racontera sûrement pas mon histoire. Les Blaudelle voudront t'en épargner les péripéties douteuses. Moi, ça me fait bien rire aujourd'hui. Je m'amuse, toute seule dans mon coin, à mettre bout à bout ces petits morceaux de vie et je m'étonne encore de voir à quel point j'ai pu être inoffensive.

Les images de cette époque me reviennent pêle-mêle. En 1930, j'entrais et je ressortais de la folie quatre fois par jour. Je passais la moitié de mon existence à déguiser et maquiller l'autre moitié. Quand je m'assoyais au piano, la musique m'empoignait et faisait disparaître tout ce qui n'était pas conforme à mon rêve. Ma seule raison d'être était l'illusion; je confondais Val-D'Amour et Hollywood.

La musique qui me sortait du bout des doigts était aussi magique que les films du cinéma de Litwin. Je m'y abandonnais complètement et le public s'y laissait prendre. À chaque projection, j'entrais en transe...

Après le film, on se bousculait autour de moi, tout près du piano. Le spectacle se continuait sans images et je racontais aux rêveurs de Campbellton tous les secrets qui se cachaient derrière l'écran. J'étais une espèce de «gipsy», sortant de sa boule de cristal à heure fixe pour expliquer tous les mystères de Hollywood. Et je faisais bien mon numéro. Personne ne doutait de ma parole.

Les soirées au cinéma de Litwin se terminaient toujours de la même façon. Je revenais m'asseoir au piano et je jouais un long moment dans la grande salle vide. L'écho me faisait tourner la tête et je tapais sur mon piano jusqu'à ce que les lumières s'éteignent. Litwin m'attendait à la porte et me passait la main sur l'épaule quand je me décidais enfin à sortir. Je crois bien qu'il y avait une certaine tendresse dans ce geste, mais c'était trop peu, et trop tard.

30 avril 1944

Partout où j'allais, je traînais Pierre Blaudelle avec moi. C'était ma mascotte et mon garde du corps. Il était fasciné par le personnage que je jouais et, comme tous les autres, il ne voyait aucune différence entre la belle Elsie Ferguson et moi. C'était le «fils du moulin», comme disait Litwin. Le moins doué de la belle et grande famille des Blaudelle. Peut-être que son côté taciturne me touchait comme m'a toujours touchée le cinéma muet...

Il restait toujours derrière quand je m'envolais pour Hollywood. Son imagination n'allait pas jusque-là, mais il croyait dur comme fer qu'à rester tout près de moi, docile et silencieux, il finirait aussi par traverser l'écran.

Entre Hollywood et le fils Blaudelle, je faisais des aller et retour époustouflants. Quand je lui racontais la face cachée de ma vie, il sombrait si profondément dans mes yeux que j'avais l'impression de le tirer par la main dans la folie.

Le 4 mai 1944

C'est avec Pierre Blaudelle que je suis venue au cinéma ce jour-là. Litwin avait reçu un film qu'il voulait absolument me montrer.

Il nous attendait à la porte et, comme un curé qui emmène ses clients au confessionnal, il nous a laissés entrer sans dire un mot. Après avoir bien refermé la porte, il est monté dans la salle de projection.

— Ouvrez bien vos oreilles, dit-il d'un air malicieux, le film que vous allez voir s'appelle *The Jazz Singer*.

Les lumières se sont éteintes et le visage d'Al Jolson est apparu sur l'écran. Un visage magistral et outrageusement maquillé. J'entendais Pierre Blaudelle respirer comme une bête à côté de moi.

Quand Jolson s'est mis à chanter, je ne saurais dire ce qui s'est passé dans mon esprit, je ne sais pas si je trouverais les mots justes. Cette voix me glaçait de la tête aux pieds. J'avais l'impression d'avoir été trahie... trahie par Litwin. Je savais depuis toujours que le cinéma parlant existait. Je l'avais lu dans mes

110

revues. Mais cela faisait partie de ma vie de rêves. Il ne m'était pas venu à l'esprit que cette calamité puisse se rendre jusqu'à Campbellton.

Le rire de Litwin se mêlait à la voix suave du *jazz singer* dans un duo macabre. Je les imaginais tous les deux, se tapant sur les genoux dans la salle de projection et se félicitant du bon coup qu'ils me jouaient.

J'étais devant l'écran, hypnotisée. Pierre Blaudelle, lui, était resté figé sur place, les yeux hagards, incrédule. Monumental et silencieux dans ce grand cinéma vide, il était la seule chose qui me restait au monde.

Les images continuaient de tomber dans un fracas terrible à l'écran. Litwin s'est calmé et nous avons regardé le film un moment.

J'étais au bord des larmes lorsque Pierre m'a prise par le bras et m'a traînée jusqu'à la sortie.

Je voulais crier des insultes à Litwin, mais Pierre a mis sa grosse main sur ma bouche. Je l'ai mordu. Je me suis retrouvée dans la rue, à moitié étourdie. Pierre Blaudelle s'est alors penché vers moi, m'a tendu la main et il m'a demandé de venir vivre avec lui dans une des belles grandes maisons de bois franc de la rue Prince-William.

Quand on vient de Val-d'Amour, ça veut tout dire, la rue Prince-William. C'est là qu'ils vivent tous, les patrons du moulin. Leurs femmes passent la journée à les attendre. Vers quatre heures, on leur sert le thé, mais ce n'est pas du vrai thé. Elles boivent ensemble des élixirs pour mieux se préparer au retour des hommes. Et quand ils se mettent à table dans leurs belles grandes maisons, c'est tous les jours dimanche...

Voilà comment j'ai épousé Pierre Blaudelle. Hollywood venait de me tourner le dos. Je me suis retrouvée entre Val-d'Amour et la rue Prince-William. Je savais déjà que ce moulin au grand doigt défiant le ciel ne remplacerait jamais ma musique.

Le 16 août 1944

J'avais fait de la maison de Pierre Blaudelle une maison de musique. Les murs en dégoulinaient, les gros meubles cossus en étaient imbibés, les miroirs chinois en résonnaient. Au milieu du salon, comme un vrai bolide, un immense Steinway, cadeau de Blaudelle père, attendait chaque jour qu'on donne le signal de départ. Dès que Pierre partait travailler, je me jetais sur le clavier et j'enfilais un chapelet et interminable de *rag-times*. Les bonnes en devenaient folles, la verrerie claquait dans les armoires et Charlie Chaplin en chômage venait passer ses après-midi avec moi. J'étais la Pénélope de ma rue, penchée sur son ouvrage pendant que Pierre essayait tant bien que mal de devenir un vrai Blaudelle. Je jouais pour ne pas connaître le sort de toutes ces femmes de la rue Prince-William. Je jouais plutôt que de *boire* l'élixir.

Quand on est né pour un petit pain, qu'est-ce qu'on peut être perdu dans ces grandes maisons de bois franc! Chaque fois que je m'arrêtais pour penser au cinéma de Litwin, le vertige me prenait.

Pour m'épouser, Pierre m'avait proclamée pianiste de génie. Je jouais et je jouais des jours entiers dans ma grande maison de la rue Prince-William. Je m'accrochais à ce piano comme à une bouée pour ne pas le faire mentir.

Quand Pierre rentrait du bureau, Charlie Chaplin sortait en douce par la porte de derrière et la maison s'éteignait. Pénélope avait tissé sa toile de son, Ulysse était revenu de son voyage quotidien et une nouvelle soirée blafarde s'amorçait.

De taciturne qu'il était, Pierre Blaudelle était devenu peu à peu un mur de silence. Chaque dimanche, les Blaudelle, père et mère, venaient nous voir. Simone montrait ses dents toutes pointues et lorsqu'elle éternuait, un nuage de fard montait au-dessus de sa tête. Blaudelle senior se mettait alors à japper:

— N'as-tu rien à nous dire, Pierre?

Ces aboiements provoquaient mon entrée en scène. Assise au piano, je jouais comme le funambule joue sa vie sur la corde raide.

Les Blaudelle ne supportaient pas l'insignifiance de leur fils, qui m'écoutait d'un air mélancolique. L'équilibre était fragile mais ces concerts du dimanche après-midi apaisaient malgré tout les esprits.

— Je trouve cela gai, me disait le paternel quand je m'arrêtais de jouer.

— Merci beaucoup, je répète tous les jours, vous savez.

Et Simone Blaudelle ajoutait:

— Vous n'avez jamais songé à faire du classique? Vous avez du talent. Vous seriez une excellente pianiste de concert. Vous êtes une jeune fille intelligente. Un peu dommage que vous ne jouiez que ce genre de musique.

Pierre serrait les poings, grinçait des dents mais ne disait pas un mot. Quand les Blaudelle battaient en retraite, il me suppliait d'apprendre Chopin. Devant mon entêtement, il retournait à son silence qui durait désormais toute la semaine. Les Blaudelle revenaient le dimanche suivant et nous rejouions le même scénario, le petit concert suivi des interrogatoires sournois... Une semaine avait passé, mais rien n'avait changé. Rien ne changeait jamais.

— Il ne faut pas vous sentir menacée quand nous parlons de musique classique, ma petite, personne ne vous y force. Mais c'est quand même curieux. Avec tout le talent que vous avez, ce serait si facile... Avez-vous déjà entendu du Chopin?

— Charlie Chaplin?

— Non, non, Chopin. Vous savez, ce genre de musique euh... comment dire?

Blaudelle mère faisait des efforts considérables pour rester polie:

— Voyez-vous, Céleste, nous vous aimons beaucoup, mon mari et moi. Vous faites un couple admirable. Mais comprenez-nous bien. On dit tellement de choses à votre sujet. On dit que vous ne sortez jamais, que vous tapez toujours sur votre piano et qu'il vous arrive même de parler toute seule...

Quand ils repartaient, Pierre me laissait seule avec le piano dans le salon. Mélancolique, je feuilletais les cahiers de musique sans pouvoir m'y résoudre.

Le 16 août 1944

J'étais devenue la folle de la rue Prince-William. Mais Chopin avait remplacé Chaplin dans le grand salon de ma vie et le Steinway s'était métamorphosé. Il n'avait plus rien d'un bolide maintenant; il faisait plutôt pupitre de fonctionnaire.

Je reprenais inlassablement des petits préludes. Je les disséquais, je titubais dans leur interprétation jusqu'à en venir à bout et je recommençais ainsi, toute la journée. C'est là que Pierre me retrouvait le soir.

Il entrait... longs silences... monosyllabes. Il arpentait le salon de long en large... la tension montait. Il fumait un peu, buvait un peu... Si je m'arrêtais, ses grands yeux hagards me tombaient dessus:

— Il faut jouer. Il faut jouer et ne pas t'arrêter.

Il fallait accélérer la production. Tout se mesurait au poids. Cinq morceaux par jour, trente par semaine, une tonne de Chopin par mois. À ce rythme, on serait bientôt prêts pour l'exportation. Pour prendre sa place dans le clan Blaudelle, Pierre avait compris qu'il lui fallait mater mon génie, si génie il y avait. Il aurait au moins le mérite de m'avoir forcée à apprendre Chopin.

Il y avait quelque chose de loufoque et de dramatique à tout cela. Un côté irréversible. Contre Litwin, je m'étais forgé des armes, le rapport de forces avait fini par s'équilibrer. Mais contre Pierre Blaudelle, je ne pouvais rien. J'étais bâillonnée dans un mouchoir de soie comme les autres femmes de la rue Prince-William.

Les Blaudelle suivaient mes progrès musicaux avec le même intérêt que le cours du bois à la Bourse. Le moindre découragement de ma part donnait lieu à des spéculations de toutes sortes. Si j'apprenais plus que ma tonne de Chopin dans le mois, les enchères montaient, mais si la productivité stagnait, Blaudelle père s'en mêlait et les silences de Pierre devenaient plus lourds. Affolée, je redoublais d'ardeur et Chopin, par pitié, me livrait encore quelques-uns de ses secrets.

Cette folle course contre la gamme connut un virage spectaculaire à l'automne 1938, juste avant la guerre. Nous étions mariés depuis un certain temps déjà. Je n'avais toujours pas d'enfant, mais j'avais appris le classique. Un bon matin, Blaudelle père entra dans mon salon. Il avait failli me surprendre au beau milieu d'un *rag-time*. C'est par hasard que j'avais tordu mon morceau en un Chopin de dernière minute.

— J'ai une très bonne nouvelle à vous annoncer. Un coup de génie de ma femme.

C'était la première fois que Blaudelle père venait dans mon salon sans sa femme. Seul avec moi derrière les portes fermées, il avait quelque chose de luisant dans les yeux.

— Comme vous savez, Simone est présidente du Cercle de charité de Campbellton. Elle a donc proposé au comité d'organiser un concert bénéfice pour les pauvres. Des arrangements ont été faits avec monsieur Litwin pour louer son théâtre un soir de votre choix le mois prochain. Nous aimerions présenter une sélection de ce que vous faites de mieux. Un peu de Chopin, un peu de Mozart. Bach aussi, si ça vous chante. Nous avons l'appui du maire et de quelques personnalités de la ville. Une grande soirée de gala...

— ...

— Nous avons songé à faire venir des organisateurs de spectacles. On a des relations à Montréal, vous savez. Ça pourrait vous ouvrir des portes.

— Mais je ne suis pas tout à fait prête. Enfin... et je ne connais pour ainsi dire que Chopin. Quelques préludes...

— Des préludes?

— Oui, seulement des préludes.

— Alors, pourquoi pas des préludes?

— ...dans le théâtre du vieux Litwin?

— Parfaitement!

Mais, tout à coup, monsieur Blaudelle ne pensait plus au concert. Il avait oublié la médiocrité de son fils et n'avait plus d'yeux que pour mes seins. Le vieux réflexe d'écarter la jambe me traversa l'esprit. Il le vit, j'en suis sûre, et l'ombre d'un instant, il perdit la face.. juste là devant moi.

Après son départ précipité, je me mis à taper tous les *rag-times* que ma mémoire voulait bien me rendre. Au bout de la journée, épuisée par toute cette musique, je me suis endormie dans un fauteuil. On m'a réveillée à l'heure du thé...

Le 25 août 1944

Depuis que je t'écris, mes mains se réchauffent. L'engelure est partie. Je fais tout à coup le ménage dans ma vie et les mauvais souvenirs s'effacent dès que je les étale sur le papier. Je m'adonne au grand exercice du coup de torchon; avec le temps, je découvre que les événements les plus pénibles sont devenus des anecdotes plus ou moins drôles, alors que les détails sans importance ont pris des proportions surprenantes.

Je n'ai pratiquement aucun souvenir de ma mère, sauf peut-être cette image persistante d'une femme aux mains engourdies. Elle ne s'en plaignait jamais... Elle s'inquiétait seulement, toute seule dans son coin. Quand elle est morte de ses engelures, j'étais si troublée dans ma vie et tellement loin de tout, qu'on a oublié de me le dire.

Le 27 août 1944

L'annonce officielle du «Concert de Charité» dans le
théâtre de Litwin causa tout un émoi à Campbellton.
Personne n'avait oublié mes succès de l'époque du
cinéma muet. Avec mon nouveau titre de folle de la
rue Prince-William, l'événement prenait tout à coup
des allures de cirque. On allait enfin exhiber la bête.

Les Blaudelle avaient invité toutes leurs connais-
sances. Plus personne ne parlait de charité, pas plus
qu'on ne parlait de Chopin d'ailleurs.

Quand Simone Blaudelle monta sur scène et
s'avança vers le public, j'espérais la voir emportée par
le poids de sa poitrine jusqu'au fond de la fosse d'orchestre. Cachée derrière le rideau, je lui souhaitais les
pires catastrophes. Mais Blaudelle mère domina tout à
fait la situation.

— Je voudrais remercier le Comité de charité
publique de Campbellton ainsi que tous les bénévoles
qui ont participé à l'organisation de ce concert. Je vous
rappelle ici, avant le début du spectacle, que la recette
de ce soir sera entièrement versée aux œuvres charitables

de la ville (applaudissements). Des pièces choisies du répertoire de Chopin seront interprétées par la grande artiste, Madame Céleste Blaudelle (applaudissements). Je vous laisse donc en compagnie de Madame Blaudelle et vous souhaite une agréable soirée.

Elle fit demi-tour et toutes les lumières s'éteignirent dans la salle. Elle passa tout près de moi en cherchant son chemin à tâtons. En quatre enjambées, j'étais déjà au piano. Petites salutations et je plonge dans la *Polonaise*.

La musique me glissait entre les doigts. Chopin était aussi affolé que moi. Le souffle court, je n'osais pas regarder la salle. Réduite à jouer de peur, j'avais les yeux collés au noir de l'arrière-scène. «Tiens, mon vieux piano… Cette vieille guenille de piano sur lequel Litwin me faisait jouer.»

Au bout du premier morceau, le public applaudit poliment. Je repris courage et dès le deuxième morceau, je me mis à balayer la salle du regard. «Je me demande où il peut bien être caché, le vieux Litwin? Il doit sûrement être là quelque part. Tiens, il est là, au troisième rang… l'air ridicule comme toujours et satisfait de lui-même. Qu'est-ce qu'il doit rire, maintenant qu'il a son cinéma parlant. Il peut même se payer le luxe de s'asseoir dans son théâtre et de m'écouter jouer Chopin…»

Quelque chose dans ce récital me rappelait le cinéma muet. Toutes ces «natures mortes», assises là sans bouger. Tous ces comédiens qui attendaient le signal de la pianiste pour se mettre à jouer… comme si la salle tout entière était un écran et que tous ces gens n'attendaient qu'un geste de ma part... qu'un tout petit *rag-time* de rien du tout pour retrouver la vie.

Par moment, j'oubliais Chopin et je faisais des embardées spectaculaires. Mes dérapages étaient d'autant plus surprenants que je mettais deux mesures de *rag-time* ici et là pour rattraper mes écarts.

C'est à ce moment-là que Charlie Chaplin est venu à ma rescousse. Il est apparu dans l'allée, m'a saluée bien bas et s'est cherché une place devant. Il a mis un certain temps à trouver, puis s'est retourné pour faire signe à ses amis de venir. Harold Lloyd est arrivé, suivi d'Edna Purviance et d'Elsie Ferguson. Ils se sont assis au premier rang et Charlie m'a fait signe d'arrêter. Sans chercher de solution élégante à mon morceau, j'ai mis un terme brutal à mon prélude de Chopin.

Chaplin s'est levé devant tout le monde et m'a demandé de lui jouer de la vraie musique. La première chose qui m'est venue, c'est ce *rag-time* que j'appelais à ce moment-là: «On ne tuera pas la pianiste». Chaplin m'a souri avant de faire son numéro devant tout le monde.

Je jouais comme une folle. La musique claquait contre les murs du théâtre et Chopin s'en allait refaire des gammes. Le public bougeait, enfin. Tout au fond de la salle, les trente vrais pauvres à qui on avait offert des places gratuites s'étaient levés en délire. Leurs cris se mêlaient à ma musique dans un hymne carnavalesque et la salle au grand complet basculait enfin dans le cinéma.

Tout le monde jouait son rôle à merveille. Simone Blaudelle gisait par terre dans l'allée, victime d'une faiblesse. Pierre se faisait rabrouer par son père. Les vrais pauvres étaient rendus tout près de la scène et le vieux Litwin roulait sous son siège, étouffé de rire.

Je les tenais tous au bout de mes doigts. Jamais je n'avais fait bouger autant de comédiens à la fois. C'était le délire.

Plus rien ne m'atteignait. Je regardais vaguement dans la salle, cherchant Chaplin ou son amie, Edna Purviance. Je n'étais même plus certaine de les avoir vus. Mais je m'en balançais complètement. «On ne tuera pas la pianiste» avait remis de la vie dans le théâtre de Litwin et c'est tout ce qui comptait.

Le 21 septembre 1944

Pierre m'avait ramenée dans la maison de bois franc de la rue Prince-William sans dire un mot. J'espérais la confrontation... une bonne bataille peut-être, mais non. Rien du tout. Le silence absolu.

Dès le lendemain, ma vie de salon retrouva ses petites habitudes. Bâillonnée dans mes mouchoirs de soie, j'avais chassé Chopin de ma vie et ne vivais plus que pour mes *rag-times*. Charlie Chaplin occupait toutes mes après-midi.

— Joue-moi *le Kid*. C'est ton meilleur film. Joue-moi la scène où tu lui fais le petit déjeuner dans ton appartement.

Il se levait, faisait deux, trois pirouettes pour se dégourdir les jambes et montait sur le dos de mon piano. Je lui rejouais *On ne tuera pas la pianiste* et son visage s'illuminait. La lumière laiteuse du grand salon nous enveloppait dans sa ouate. Les films se faisaient et se défaisaient en quelques mesures. Chaplin me demandait en mariage chaque fois que je jouais une valse et, bien sûr, je refusais.

125

Au bout de la journée, il s'enfuyait par la fenêtre, côté jardin, en exécutant le *Tap dance du vieux garçon...* et tout à coup, l'écran était vide. La lumière laiteuse disparaissait et quelqu'un cognait à la porte. C'était l'heure du thé. Pierre Blaudelle et ses silences n'allaient plus tarder...

Le 20 janvier 1945

Après le désastre du concert, Blaudelle père et mère ne venaient plus à la maison. Pierre n'était donc plus soumis à l'exercice dominical de la parole. Le clan l'avait isolé. Il me fallait briser le silence toute seule et traverser ce mur de béton.

Tous les soirs, je l'attendais dans mon salon, penchée sur une tasse de thé. Les jours où je trouvais le courage de lui parler, il arrivait très tard et impatient. Les jours où j'hésitais, il entrait tôt, buvait sans dire un mot, tournait en rond et reniflait partout, comme s'il se doutait que Chaplin était passé par là.

Puis un bon matin, sans s'annoncer, il entra comme un voyou, se colla une cigarette au bec et s'effondra dans un fauteuil. Je n'ai jamais su s'il venait me parler ce jour-là, ou s'il passait tout simplement. J'ai fait un pas vers lui et me suis laissée glisser dans le fauteuil voisin.

— Je suis enceinte de trois mois, Pierre. Je vais avoir un fils et il va s'appeler Madrigal.

Il fuma sa cigarette jusqu'au bout sans dire un mot.

— Madrigal, c'est le nom qu'on donne à une petite pièce vocale polyphonique. J'ai trouvé ça dans le dictionnaire. C'est aussi un compliment, un madrigal. C'est beau, non?

Blaudelle continua à fumer en silence... Quand son paquet fut vide, il se leva, me souhaita une bonne journée et traversa le salon. Dans la porte, juste avant de sortir, il s'arrêta pour demander:

— Madrier?

— Non, Madrigal. C'est un petit compliment...

Quand la porte se referma, une envie terrible de rire me monta à la gorge. Des images confuses s'entremêlaient dans ma tête et je fredonnais des petits bouts de *On ne tuera pas la pianiste* sans trop savoir pourquoi. J'imaginais déjà mon gros ventre et je me voyait, jouant du piano les bras tendus...

Le 30 mars 1945

J'étais déjà enceinte de six mois quand les Blaudelle osèrent s'approcher. Je les revois encore, faussement timides, entrer dans mon salon. Pierre, blindé comme un char d'assaut, leur faisait des gentillesses muettes. Je tournais autour du piano sans trop savoir si je devais m'y asseoir et je flattais langoureusement mon ventre en regardant leur agacement.

— Vous savez que la guerre est déclarée en Europe...

Je tenais mon ventre comme on s'accroche à sa dernière poignée de monnaie. Qu'est-ce que les Allemands et les Autrichiens avaient à voir avec la naissance de Madrigal?

Blaudelle père faisait des détours sournois, tricotait sur la pointe des pieds et s'avançait à petits pas vers une sentence que je savais déjà définitive.

— ...Ainsi donc, après la naissance de l'enfant, vous partirez tous deux pour Petawawa, où Pierre fera son service militaire. Il aura besoin de tout le soutien de sa femme et on verra à ce que vous soyez bien installés. Nous garderons l'enfant ici à Campbellton parce qu'il ne pourrait être élevé dans des conditions adéquates à Petawawa. Si Pierre devait être appelé au front, vous reviendriez vivre avec nous en attendant la fin de la guerre. Vous comprenez, avec un conflit mondial sur les bras, chacun va devoir y aller de son petit sacrifice...

Qu'est-ce qui m'empêchait de les mettre à la porte? Je voulais peut-être savoir jusqu'où ils pouvaient aller.

— Je veux d'abord que mon fils vienne au monde avant de prendre une décision.

— Comment savez-vous que ce sera un garçon?

— Je le sais. Je le sens.

— Vous voulez l'appeler Madrigal, si j'ai bien compris...

— Je veux l'appeler Madrigal, en effet.

— Ce n'est pas un nom catholique... pourquoi vouloir l'affubler d'un nom pareil? Vous allez le rendre malheureux.

— Vous aimeriez peut-être qu'on le baptise Joseph et qu'on envoie ses parents à la guerre, quelque part en Autriche. La folle de la rue Prince-William disparaîtrait de la face du monde et le moins doué des Blaudelle se ferait oublier un peu... Jamais, comprenez-vous? Jamais il n'y aura de guerre mondiale pour moi.

BLAUDELLE LUI-MÊME

Je me demande bien ce que je fais dans ce cirque. Je n'ai jamais pu supporter la foule. Et en plus, Antoine qui vient de disparaître... Aussi bien m'approcher du piano, il finira sûrement par aboutir de ce côté-là... Avec mon paquet sous le bras, c'est pas facile de me frayer un chemin, et j'y tiens à ce tableau... J'ai l'impression que pour la première fois depuis longtemps, Antoine a réagi à ce que je fais.

Tout à coup, je sens deux mains de femme sur mes épaules...

— Mais c'est mon grand artiste en personne!

Armande est juste là devant moi, un grand sourire triomphant et racoleur aux lèvres. Il ne manquait plus que ça! Avant que j'aie le temps de dire un mot, elle m'arrache le «25 novembre» et l'expose sur le piano. C'est aussitôt l'attroupement et Armande se déchaîne. Elle fait défiler les curieux: les admirateurs sont complimentés avec effusion, ceux qui ne se montrent pas assez enthousiastes sont couverts d'insultes. Moi, je ne trouve rien de mieux que de me glisser sous le piano et d'attendre que la tempête passe.

Puis, aussi brusquement qu'elle a commencé, Armande arrête son numéro. Je vois sa tête apparaître sous le piano.

— Mais j'ai complètement oublié de te dire : Antoine te cherche partout. Je l'ai laissé au kiosque de madame Adrien. Je vais le chercher tout de suite.

Elle se redresse, bouscule tout le monde et disparaît dans la foule. Elle commence à m'énerver sérieusement celle-là. Et d'abord, depuis quand connaît-elle Antoine? Je n'aime pas ça du tout.

Les curieux massés devant le piano se mettent à regarder ailleurs. Sans dompteur, une foule est incapable de faire la différence entre une toile et un piano. Je croyais le danger passé quand une tête d'orang-outang m'arrive en pleine face.

— C'est à vous le tableau, là? Je vous en donne deux cents dollars si vous voulez.

— Merde!

L'orang-outang disparaît. Je sors de mon trou et pendant que les curieux regardent ailleurs, je remballe le «25 novembre».

* * *

Je regarde autour de moi, les gens me regardent mais on n'a rien à se dire. Je vois tout à coup la scène comme dans un film muet. Il ne manque que la pianiste inspirée...

Décidément, les lettres de Céleste me font comprendre bien des choses. On peut dire qu'on a bien réussi mon éducation. On a voulu m'élever à l'image de Pierre Blaudelle... Mon enfance n'a été qu'une succession de promenades dans le parc de Campbellton. Mon père s'y tenait debout et bien droit. Tous les jours, je venais parler à son monument de granit, mais les héros de guerre ne répondent jamais. Avec Antoine, sur les Plaines d'Abraham, je me tiens debout et bien droit devant mon chevalet et... à moi non plus les mots ne viennent pas facilement.

Je rattrape le temps perdu grâce à un petit notaire, qui a dépoussiéré ces vieux bouts de papier quelque part et qui a jugé bon de les mettre à la poste.

Ma mère est morte à New York en 1945, sans savoir que la guerre était finie. Elle est morte en confondant la guerre et l'hiver. Trente ans plus tard, sans le savoir, j'ai achevé le travail qu'elle avait commencé dans le clan Blaudelle. Je suis devenu l'artiste qu'on ne voulait pas qu'elle soit. On m'a renié, comme on l'avait reniée, elle, et j'ai dû moi aussi déserter.

L'épopée de la petite pianiste de cinéma de Campbellton m'a rejoint. Quand je relis ses lettres, j'ai l'impression d'arriver au bout d'une très longue course, au bout d'un marathon que je courais depuis toujours sans le savoir.

Lorsqu'Armande et tous les autres curieux se sont éloignés, je me suis retrouvé seul, près de la grande fenêtre de l'autre côté du piano. En attendant Antoine, je me suis remis à fouiller dans les lettres, mais cette fois, c'est Lauda qui me tombe dessus.

Réflexe: je referme le Livre Noir et le met dans ma boîte de matériel. Elle s'en aperçoit tout de suite et se vexe.

— C'est ça, ta bible?

Elle a de ces façons de me regarder, des fois! Ça me fait oublier qu'elle est toute petite.

— Antoine n'est pas avec toi?

Un nœud de mots me monte à la gorge et tout se met à sortir de travers.

— Je veux... j'aimerais ça te parler un peu, Lauda... pas tout de suite... C'est le Livre Noir qui... une bonne fois... ou peut-être aujourd'hui.

Elle s'approche un peu. Je me sens bêtement vulnérable et j'évite son regard.

— Ça ne va pas, Blaudelle?

Le granit se met à bouger dans mon ventre et les phrases continuent d'arriver tout à l'envers dans ma bouche. Tant qu'à dire n'importe quoi, autant me taire. Lauda est tout près de moi, maintenant. De petits bouts du journal de Céleste me reviennent pêle-mêle dans la tête. Son visage se confond dans la grande murale en face de nous.

— Qu'est-ce que t'essaies de me dire, Blaudelle? Qu'est-ce qui ne va pas?

Des grenailles me déchirent la gorge. J'ai les yeux braqués sur ces mots gravés dans la murale et je ne trouve rien de mieux que de lui souffler à l'oreille:

— C'est ici que Dieu a vu sa fatigue. La mort en est morte, vive l'androïde, vivvvvvvvv...

Lauda me regarde, bouche bée. Elle se demande probablement si je ne suis pas devenu fou.

— Mais qu'est-ce que t'essaies de dire? Aurais-tu compris quelque chose que je devrais savoir?

La bouche encore ouverte, je ne sais plus quelle pirouette faire pour m'en sortir. Lauda s'accroupit tout près de moi et me prend dans ses bras. Je ne l'ai jamais vue comme ça avant. Elle me prend et me serre très fort contre elle... comme si j'étais son enfant. Elle a le geste délicat, tendre même. Je fouille partout dans mon ventre pour trouver d'autres mots; n'importe quoi pour étirer le moment. Des petits bouts de discours m'arrivent à la bouche dans une confusion terrible.

— ...on n'arrive jamais à dire ce qu'on a à dire à ceux à qui on veut le dire, hein?

Lauda met sa main sur ma bouche et la petite voix pointue d'Antoine nous arrive, de sous le piano:

— Oh! ça s'apprend, tu sais!

137

NEW YORK

Le 6 mai 1945

C'est en novembre 1939 que nous sommes partis pour Petawawa. On m'avait arraché mon sacrifice de guerre à coup de stratégie, de manœuvres et d'intimidation. Ma seule victoire avait été de te baptiser comme je l'entendais.

Je n'ai plus d'émotion lorsque je repense à tout cela. Je les ai toutes usées. J'ai rongé mon frein jusqu'au bout et un nuage de glace s'est emparé du coin de ma mémoire qui t'a vu naître. Je ne sais pas, je ne sais plus de quoi tout cela retourne. J'en suis venue à croire que la guerre nous entourait, qu'elle faisait rage partout, sauf à Campbellton et qu'il valait mieux, qu'il était même nécessaire de te laisser dans les bras de Simone Blaudelle... comme si, en désertant, je pouvais empêcher cette calamité de t'atteindre. On m'a fait croire que c'était l'unique façon de te sauver. Je ne sais pas... je ne sais plus, puisque j'ai tout cru. Ma main tremble tout à coup, Madrigal... et qu'est-ce qui me dit que tu t'appelles toujours Madrigal?

Mes doigts sont glacés. Quelque chose dans mon cerveau ne répond plus. J'ai tout laissé, j'ai tout perdu dans ce convoi qui nous emmenait à la guerre. Je t'ai laissé dans les bras de Simone Blaudelle, j'ai laissé mon piano et ce salon où j'aurais pu passer une vie avec toi, bâillonnée et enfermée. J'ai troqué tout cela contre une guerre qui se faisait à Petawawa, contre un cancer qui se préparait à Petawawa et que je devais aller tuer dans son œuf avant qu'il ne t'atteigne.

Dans le train, c'était l'hystérie. Cette hystérie qui règle soudain les petits problèmes qu'on a laissé traîner. Nous traversions l'automne comme d'autres descendent en enfer. Avec la même résignation, avec aussi cette bravoure stupide qu'ont les militaires quand ils vont se faire tuer.

J'ai les mains glacées, une partie de mon cerveau me boude et je le dis sans honte, j'ai fui Petawawa. J'ai fui la guerre pour tout oublier. Je suis venue mourir à New York, il y a un autre homme dans ma vie et j'attends encore que les choses se calment dans ma tête. J'ai beau chercher au plus profond de moi, je ne sais plus à quoi tu ressembles ni même de quoi tu avais l'air quand je t'ai laissé dans les bras de Simone Blaudelle. J'attends la fin de la guerre pour m'en souvenir, mais est-ce que je la verrai jamais? John Devil me soigne comme une bête blessée. Il me joue de son violon magique la nuit et nous rions ensemble de mes insomnies, mais l'hiver n'en finit pas pour autant.

Pierre Blaudelle attendait que la guerre fasse de lui un héros. Il n'avait plus qu'une chose en tête: partir.

142

Ne plus être là. Devenir un héros au plus vite et oublier tout ce poids que j'étais devenue pour lui.

À Petawawa, tout était calme comme au purgatoire. Seulement cette dernière bataille entre Pierre et moi. Une bataille silencieuse et toute en longueur. Je ne savais plus ce que j'étais venue faire là. On m'y avait tirée par la main de la même façon qu'on m'avait poussée à apprendre Chopin. J'étais au milieu de ce champ de bataille, à me demander si ce n'était pas moi qu'on allait sacrifier.

Pierre se porta volontaire en février 1940: six mois avant «son temps», comme il disait. Il ne partait pas en guerre, il fuyait la paix. Égal à lui-même, il resta enfermé dans un mutisme de char d'assaut jusqu'à ce que ses yeux d'acier se perdent dans la fumée noire du train qui l'emmenait. Il était prêt pour la guerre. Rien ne serait jamais pire que la vie d'enfer du clan Blaudelle et le collier de plomb que j'étais à son cou. Il était déjà un héros quand le train l'emmena de Petawawa jusqu'au front. C'était écrit dans ses yeux.

Le champ de bataille sans guerre qu'avait été cette ville d'hiver était maintenant jonché de corps morts, de femmes abandonnées et de peines d'amour. Tous ces gens avaient pourtant un espoir, un petit espoir de rien du tout. Pas moi. Je ne regardais même plus derrière. Je savais aux yeux de Pierre qu'il ne fallait plus rien attendre de lui. J'avais compris ce qu'il fallait comprendre.

Le train qui me ramenait à Campbellton s'arrêta dans la nuit. Je pris ma valise sans réveiller toutes ces femmes qui soignaient silencieusement leur peine, et descendis dans la grande gare de Montréal. Je n'avais qu'une idée en tête: fouiller toute la ville s'il le fallait pour trouver un piano. N'importe où et à n'importe quel prix, trouver un endroit où jouer ma musique. Retourner très loin en arrière et tout refaire, mais de la bonne façon cette fois.

C'est cette nuit-là que j'ai rencontré John Devil.

DEVIL

Antoine sortit de sous le piano et s'approcha. Passant devant Lauda, à qui il fit un clin d'œil, il bifurqua sur la gauche, tomba dans les bras de Blaudelle et se glissa sous son manteau. Bien accroché au ventre de son père, il s'étira un peu et s'endormit.

Le peintre tenait le petit comme une femme enceinte tient son gros ventre. Lauda se colla un peu plus sur lui.

Et c'est à cet instant précis que Papa John fit son entrée, accompagné de Gunther Haussmann. On aurait dit un aveugle tiré par son chien. La main tendue devant lui, il caressait l'air du temps. Mais quand ses doigts touchèrent le piano, il ouvrit tout grands les yeux.

— *What have you got against this piano, Gunther? It looks great to me!*

Embourbé au milieu de ce public qu'il n'avait jamais vu de si près, Papa John essayait de se faire une place à coup de sourires. Mais personne ne réagissait. Quand son regard inquiet croisa celui de Lauda, le vieil homme était sur le point de tout laisser tomber et de faire demi-tour.

Devinant l'urgence, Lauda bondit sur ses pieds. Elle bouscula tout le monde autour du piano, mais les sinistrés de la première neige étaient récalcitrants. On se demandait pourquoi ce vieillard avait besoin d'autant d'espace.

Haussmann regardait le piano comme un acrobate penché au-dessus d'un seau dans lequel il doit plonger du troisième étage. Deux gouttes de sueur lui coulaient le long des tempes et faisaient des détours compliqués sur sa peau. Écrasé sous le poids d'Antoine, Blaudelle respirait comme une femme sur le point d'accoucher. Quand ses yeux croisèrent ceux de l'accordeur, les deux hommes poussèrent le même soupir.

— Antoine est avec vous?

Blaudelle leva les bras pour lui montrer son gros ventre. Papa John, qui tendait l'oreille, dévisagea le peintre un moment. Se tournant vers Haussmann:

— *Do you know this man?*

L'accordeur fit signe que oui.

— *Then let's play a tune for him. He needs it.*

Lauda s'agitait toujours, près du piano. Elle écartait les importuns en attendant que Papa John soit prêt.

Les têtes bougeaient de partout dans le public, comme des piranhas cherchant leur proie. Personne ne savait vraiment ce qui se préparait, mais tout le monde regardait du côté de Papa John.

Antoine bougea sous la peau de son père. Il releva même la tête, et un bouton du manteau se défit. C'était tellement bon de se coller un peu, après tout l'émoi des portes tournantes...

148

Blaudelle passa une main dans les cheveux de son fils et relâcha un peu les muscles du ventre. Il n'y avait plus une trace d'angoisse sur son visage. C'était le moment ou jamais. Il écarta les jambes et prit une grande respiration.

Toutes ses rides se crispèrent. Il força encore un peu et le corps tout raide d'Antoine se mit à glisser le long du sien. Le passage du bassin fut un peu plus douloureux que le reste. Le peintre se mordit les lèvres et le petit passa en douce.

Lauda se précipita sur Antoine et le prit dans ses bras. Elle jeta un petit sourire timide du côté de Blaudelle et le peintre le lui rendit aussitôt.

Papa John venait d'attaquer les premières notes de *Sweet Georgia Brown*. Lauda souffla à l'oreille d'Antoine:

— Écoute bien. Le vieux Monsieur va nous faire de la musique. De la musique comme tu n'en as pas encore entendu.

Épuisé, Blaudelle reprenait doucement son souffle. La belle Georgia Brown de Papa John étalait tout son charme dans le Grand Hall et Antoine, les deux yeux dans le beurre, revenait tranquillement à la vie.

Lauda ouvrit son sac. Elle sortit un minuscule appareil, fit sauter la dernière cassette d'Antoine et se trouva un ruban vierge. Elle mit le tout en position d'enregistrement, posa l'appareil sur le coin du piano et revint s'asseoir près de son fils.

— Tu m'en feras une copie, hein? J'aime bien comme il joue, Gunther. Il devrait faire autre chose qu'accorder les pianos.

— Écoute un peu l'autre... le vieux.

Papa John débitait son morceau avec une précision bouleversante. Tout son corps vibrait à l'unisson avec son instrument. La belle Georgia, ressuscitée, s'échappait de son violon et se collait aux murs du Grand Hall.

Quand l'écho des premières mesures revenait, le vieil homme était déjà rendu au couplet suivant. Rusé, il composait avec les éléments, y mêlait les cris des curieux et le grondement de l'indifférence, fouettait le tout d'un autre coup d'archet et renvoyait sa musique encore plus loin, au fond du Grand Hall.

Comme pris d'épouvante, Haussmann tapait sur le clavier sans relever la tête. Quand les doigts lui faisaient faux bond, il riait tout seul dans son coin, rajoutait un ou deux accords pour se faire pardonner et continuait sa course folle derrière Papa John.

Bien installé entre Lauda et Blaudelle, Antoine ne tenait plus en place. Toute cette musique, d'un seul coup et de si près, c'était trop. Son petit corps résonnait autant que l'instrument de Papa John. Il se passait la main sur le cœur et s'étonnait de le voir battre aussi vite.

Papa John menait la belle Georgia par le bout du nez. Il lui faisait faire toutes sortes d'acrobaties et le brouhaha du Grand Hall commençait à s'apaiser.

Les curieux des premiers rangs se demandaient qui était ce vieillard au violon fou. Un peu plus loin, de grands mouvements de foule s'organisaient. Tout le monde voulait voir ça de plus près.

Possédé, Papa John était déjà rendu au finale de *Sweet Georgia Brown*. Il allait conclure et poser les armes quand, tout à coup, il fit un virage imprévisible. Comme l'oiseau de proie qui reprend un courant d'air inattendu, il s'envola dans une arabesque tellement nourrie que les notes faisaient la queue dans l'air du

151

temps pour être entendues. Près du piano, on salua le passage par un feu d'applaudissements.

Cette dernière semonce alla résonner jusqu'au fond du Grand Hall. Le silence tomba sec comme un coup de guillotine. Soulagé, Papa John posa son violon et s'appuya contre le piano. Il prit la main de l'accordeur et la serra très fort. Les yeux de Haussmann étaient tout rouges et le violoniste hocha la tête en le présentant au public.

* * *

Papa John tenait nonchalamment son violon sous le bras et la foule se resserrait autour de lui. Haussmann regardait ses mains, presque incrédule, et Antoine ne bougeait plus, entre Lauda et Blaudelle.

Le public en voulait encore mais le violoniste se laissa désirer. Quand le brouhaha du Grand Hall se remit à monter, Papa John fit un pas vers le piano et souffla quelque chose à l'oreille de Haussmann.

Presque solennel, Papa John s'adressa ensuite à son public d'une voix tremblante.

— *For my next number, I'd like to play this piece of music written by a very fine musician from your country. Although she has passed away now,* You don't kill a piano player *will remain one of the most brilliant jazz composition of the Fourties. For you all and specially for Miss Céleste who wrote it...*

Et les deux musiciens se jetèrent dans une interprétation troublante du *You don't kill a piano player*.

Blaudelle s'effondra par terre. Appuyé contre la grande fenêtre, il se tortillait et cherchait par tous les moyens à retrouver ses esprits. Le granit faisait du bruit dans son ventre et Lauda le tenait par la main. La bouche ouverte, il essaya de dire quelque chose mais pas un mot ne voulut sortir. Rien sauf ces bruits de pierres qui se frottent et qui grincent... comme un rot ininterrompu et répugnant. Blaudelle mit alors la main dans sa boîte.

C'était noir de monde autour du piano. Dans son habituel numéro de haute voltige, Papa John défiait les lois de l'équilibre en réinventant le *Piano player*.

Antoine avait les yeux rivés sur les doigts du vieillard et buvait littéralement chaque note qui sortait de son violon.

— T'as vu les yeux? Comme sur l'affiche... je savais bien que c'était un vrai.

Blaudelle balbutiait de petites choses inaudibles en fouillant toujours dans sa boîte de matériel. Quand il mit enfin la main sur le Livre Noir, il l'ouvrit à la première page et le tendit à Lauda.

— Regarde, regarde, Lauda. C'est écrit là. «...je vis avec John Devil, un violoniste noir que j'ai rencontré à Montréal et qui fera parler de lui dans le monde entier.» Et là plus loin, regarde: «...tous les soirs, John Devil fait de la musique dans les clubs de jazz de New York. Je ne l'accompagne plus au piano. Mes doigts se sont refroidis et je n'arrive plus à le suivre...»

153

Lauda prit le cartable et se mit à feuilleter les lettres.

Papa John tordait le *You don't kill a piano player* de façon magistrale et son âme, très loin dedans, lui cognait contre l'armure sans jamais perdre le rythme. Les bruits de la foule allaient et revenaient comme une vague sans cœur... et toute cette belle musique finissait par se perdre dans la rumeur du Grand Hall.

You don't kill a piano player était loin de faire l'unanimité. Il y avait bien sûr les inconditionnels des premiers rangs qui ne quittaient plus Papa John des yeux, mais il y avait surtout les indifférents, tout au fond du Grand Hall, qui se moquaient éperdument du jazz des années quarante et qui préféraient se gargariser de banalités. Cette pianiste qu'on disait intuable avait beau se mettre à nu et se déchirer les entrailles pour plaire, la moitié du public avait l'oreille ailleurs.

Puis tout à coup, CRAC!... le chahut fit un bond de vingt mètres dans le Grand Théâtre. Des cris de surprise volèrent de tous côté et la musique de Papa John disparut sous le poids du bruit.

Furieux, Haussmann releva la tête. Du coup, il perdit l'équilibre et s'écrasa sur le clavier. Imperturbable, Papa John fit encore quelques mesures sans accompagnement, mais fut pris à son tour de vertige.

Étourdi, le vieux musicien posa son violon sur le piano et regarda autour de lui. Le millier de personnes qui, trois minutes plus tôt, tournaient en rond dans le Grand Hall, se ruaient maintenant vers les portes tournantes. Les lumières de la ville se rallumaient une à une et les sinistrés de la première neige plongeaient dans l'hiver sans regarder derrière eux.

* * *

L'homme au chapeau de feutre se précipita vers Papa John et lui jeta un manteau sur les épaules comme on jette une couverture sur le dos d'un cheval qui a bien couru. Le musicien ne réagissait plus; d'abord ce morceau qui s'était arrêté au milieu de rien et puis ce public qui lui tournait le dos... Les yeux vagues et le geste vieux, il avait l'air d'un enfant perdu.

Sous l'œil impuissant de Haussmann, le gérant remit le violon du vieux musicien dans son étui. Le temps s'était arrêté autour du piano. Plus personne ne bougeait, plus personne ne respirait.

Antoine se glissa entre Gunther et le piano, s'approcha de Papa John et tira sur son manteau. Le vieux musicien eut l'air agacé mais Antoine tendit la main et lui effleura le visage.

— Vous êtes pas mal vieux, hein? Mais j'espère que vous n'allez pas devenir un accordeur, vous aussi.

Papa John approuva d'un signe de tête même si, visiblement, il n'avait rien compris à ce qu'Antoine venait de dire.

Le garde du corps fit claquer le couvercle de l'étui en le refermant. Il rappela à Papa John qu'une limousine l'attendait depuis une heure au moins, à la sortie des artistes, et que ce n'était pas des choses à faire que de jouer gratuitement alors qu'on venait d'annuler un contrat. Le vieux musicien ne répondait plus. Il n'avait d'attention que pour Antoine.

Blaudelle s'était levé lui aussi. Son ventre ne faisait plus de bruit. Il voulut s'approcher, mais il s'accrocha dans le banc du piano. Pour freiner sa chute, il s'agrippa à Haussmann, enjamba le tabouret et finit par tomber dans les bras de Papa John.

Aussitôt le petit homme se rua sur le peintre en hurlant. Le violon de Papa John vola par terre et Haussmann se jeta de tout son long pour le ramasser. Lauda s'en mêla elle aussi, Blaudelle perdit l'équilibre et tomba.

La bataille était sur le point d'éclater autour du piano. On cherchait un meurtrier sans vraiment savoir ce qui se passait. Blaudelle essayait de se défaire de l'emprise du petit homme qui lui tordait le bras derrière le dos.

C'est la grosse voix de Haussmann qui ramena tout le monde à l'ordre:

— Qu'est-ce qui vous prend, monsieur Blaudelle?

Papa John s'approcha. Il reconnut aussitôt l'homme au gros ventre et lui demanda pourquoi il l'avait poussé ainsi.

Tout ce que Blaudelle trouva à dire fut:

— *Are you the Devil?*

Le petit homme lâcha prise. Lauda tendit le Livre Noir à Blaudelle et Papa John se pencha pour ramasser son violon. La voix faiblarde, il répondit:

— *Of course! Papa John Devil. Don't you know that?*

Intrigué, il se tourna alors vers Haussmann et lui demanda:

— *What is he trying to tell me?*

L'accordeur n'eut même pas le temps de répondre. Blaudelle prit le livre des mains de Lauda et le tendit au vieux musicien qui reconnut tout de suite les lettres de Céleste.

— *Are you the boy? I mean, are you Céleste's son?*

Blaudelle mit un long moment à réagir. Comme s'il revenait d'un long rêve, il répondit finalement:

— Oui, oui, c'est moi, Madrigal.

Papa John passa la main dans les cheveux d'Antoine.

— *And this young lad is your son, I suppose.*

— Oui, oui, c'est ça. Et y a Lauda aussi, c'est sa mère.

Papa John leva les yeux. Le visage de Lauda lui était familier. Il fronça les sourcils et salua timidement.

— *Céleste would have loved your son.*

Le vieux musicien se mit aussitôt à fouiller dans la poche intérieure de son manteau. Il en tira une carte, la tendit à Blaudelle et murmura quelque chose à l'oreille de Haussmann.

L'accordeur hocha la tête:

— Papa John vous invite tous les trois chez lui à New York. Il doit d'abord terminer sa tournée mais d'ici quinze jours, il devrait être de retour.

Le gérant s'approcha du vieux musicien, et lui prit le bras pour le diriger vers la sortie.

157

Papa John hésita un peu avant de le suivre. Le geste nerveux, il rajusta le manteau qu'on lui avait jeté sur les épaules et s'engouffra dans les portes. Il y eut un moment de flottement. On s'attendait à le voir réapparaître au prochain battement, mais quand les portes cessèrent de tourner, il n'était plus là.